LES FLEURS DU MAL
ET AUTRES POÈMES

Sur la couverture :

Vision céleste à l'usage de Paul Chenavard.
Dessin de Baudelaire.
Bibliothèque Jacques Doucet.
Cliché Flammarion.

CHARLES BAUDELAIRE

LES FLEURS DU MAL ET AUTRES POÈMES

Chronologie et préface
par
Henri Lemaître
agrégé de l'Université

GARNIER-FLAMMARION

INTRODUCTION

INTRODUCTION

Il est sûr que, dès sa jeunesse, dès ses années de collège, Charles Baudelaire pratiqua la poésie, comme le faisaient nombre de ses condisciples; mais ce n'était pas seulement, dans son cas, caprice ou snobisme de collégien : il avait à peine plus de vingt ans lorsqu'en 1841, au cours de ce voyage qui lui fut imposé comme une punition, il composa le sonnet *A une Dame créole*, où figurent, au premier quatrain, deux dominantes aux moins des *Fleurs du mal :* le symbolisme du parfum et le charme d'une insolite beauté :

> *Au pays parfumé que le soleil caresse*
> ....
> *Une dame créole aux charmes ignorés.*

Et cette pièce devait figurer dans le recueil de 1857 comme le témoin de la vraie naissance poétique de Charles Baudelaire.

Quatre ans plus tard, en octobre 1845, six mois après les débuts littéraires du futur poète avec un essai de critique d'art, *le Salon de 1845*, on lisait, sur la couverture d'une publication de Pierre Dupont, l'annonce d'un volume de vers de *Baudelaire-Dufaÿs*, intitulé *Les Lesbiennes*, annonce reprise l'année suivante sur la couverture du *Salon de 1846*. Ainsi se trouve fixée dès ce moment la double orientation de Baudelaire : la réflexion esthétique et la création poétique. En 1848 est annoncé comme devant paraître chez l'éditeur Michel Lévy un recueil dont, cette fois, le titre est : *les Limbes*, et à ce titre Baudelaire restera fidèle jusqu'en 1855.

C'est en effet le 1er juin de cette année-là que *la Revue des Deux Mondes* publie dix-huit poèmes sous le titre nouveau de *Fleurs du mal*, dont on a dit qu'il avait été suggéré à Baudelaire par son ami Hippolyte Babou. Quoi qu'il en soit, c'est à cette date du 1er juin 1855 que commence l'histoire de ce livre qui devait bouleverser la poésie française. Histoire à la fois simple et dramatique : ami de Baudelaire et éditeur aventureux, Poulet-Malassis achète *les Fleurs du mal*, qui furent mises en vente à la fin de juin 1857; un article venimeux du *Figaro* attire l'attention du Parquet (du moins est-ce probable, sans qu'on puisse l'affirmer absolument); les poursuites sont engagées et, le 20 août, c'est la condamnation : six pièces doivent être supprimées, qui ont depuis lors conservé le titre commun de *Pièces condamnées* * *: les Bijoux*, *le Léthé*, *A celle qui est trop gaie*, *Lesbos*, *Femmes damnées*, *les Métamorphoses du vampire*. A la fin de cette même année 1857, Baudelaire dut songer à une seconde édition, dont la préparation dura deux années : en février 1861, paraissait cette seconde édition, la dernière publiée du vivant de Baudelaire, celle par conséquent dont on trouvera le texte dans le présent volume.

Dans les années suivantes, et jusqu'à la veille de sa mort survenue en 1867, Baudelaire songea à plusieurs reprises à mettre au point et à publier une « édition définitive » des *Fleurs du mal;* mais pour son recueil de poèmes, comme pour ses *Poèmes en prose* et tout aussi bien pour ses écrits critiques, il fut victime de la fatalité qui accumula à plaisir les obstacles et les incidents; qu'on en juge : en 1862, Poulet-Malassis fait faillite; Baudelaire signe alors un contrat avec l'un des plus importants éditeurs de l'époque, Hetzel, mais ce contrat sera résilié deux ans plus tard. D'autres éditeurs, Michel Lévy et Garnier, répondirent par des dérobades aux démarches du poète, jusqu'à ce que la maladie vînt mettre un terme à cette désolante aventure.

Néanmoins, en février et mars 1866, avaient lieu deux publications : l'une en volume, la première, sous le titre *les Épaves*, la seconde, dans le recueil de Catulle Mendès, *le Parnasse contemporain*, sous le titre *Nouvelles Fleurs du mal*. Parmi les vingt-trois poèmes qu'elles renferment, *les Épaves* contiennent les six pièces condamnées en 1857. Un poème y figure qui avait figuré déjà dans *les Fleurs du mal* de 1857 et de 1861, *Franciscae meae laudes*. Six pièces se rencontrent à la fois dans *les Épaves* et dans *les*

* La condamnation ne fut officiellement annulée qu'en 1949.

Nouvelles Fleurs du mal *. Plusieurs poèmes des *Épaves* sont accompagnés de notes dues à la collaboration de Baudelaire et de Poulet-Malassis; ce dernier en effet, réfugié en Belgique, s'était chargé d'éditer le volume, qui portait d'ailleurs une fausse indication d'origine : *Amsterdam, à l'Enseigne du Coq.* On trouvera ici le texte de ces publications dans l'ordre chronologique : *les Épaves* d'abord, puis *les Nouvelles Fleurs du mal*, sans les pièces qui figurent déjà dans le recueil précédent.

Après la mort de Baudelaire, paraissait, en 1868, une troisième édition des *Fleurs du mal*, qui ajoute quatre poèmes aux pièces figurant dans les deux premières éditions, dans *les Épaves* et *les Nouvelles Fleurs du mal.* Deux d'entre elles, *le Calumet de la Paix*, qui est une traduction de Longfellow, et *A Théodore de Banville* n'eussent certainement jamais été adjointes par Baudelaire à son recueil.

Pour achever l'histoire des œuvres poétiques de Baudelaire, rappelons que la dernière partie de celles-ci comprend des vers qui ont été publiés par des amis du poète, des collectionneurs ou des baudelairiens : *Bribes*, c'est-à-dire des fragments que Baudelaire avait copiés sans doute en vue d'une utilisation ultérieure et que malheureusement il est impossible de dater; un projet d'*Épilogue* que le poète avait commencé de rédiger pour la deuxième édition des *Fleurs du mal; Poésies diverses*, parmi lesquelles figurent des poèmes de jeunesse; *Amœnitates Belgicae* qui certes n'ajoutent rien à la gloire de Baudelaire. Elles furent écrites sous le coup de la déception qu'il éprouva lors de son séjour en Belgique et dans un climat psychologique dont le moins qu'on puisse dire est qu'il était déjà morbide. Ces pièces furent publiées partiellement en 1866, 1872, et 1881, et en totalité en 1925. Nous avons cru devoir joindre à cet ensemble, bien qu'ils soient écrits en prose, les projets de préface qui furent ébauchés par Baudelaire, les deux premiers pour la deuxième édition des *Fleurs du mal* et le dernier pour une troisième édition, que, nous l'avons vu, il ne parvint pas à faire paraître. Mais nous avons exclu les poèmes que Baudelaire a écrits en collaboration et ceux qui lui ont été attribués en vertu d'hypothèses plus ou moins convaincantes.

* Voici les titres des pièces communes aux *Épaves* et aux *Nouvelles Fleurs du mal : A une Malabaraise, Hymne, la Voix, le Jet d'eau, les Yeux de Berthe, la Rançon.*

Ainsi la postérité a-t-elle pu venger Baudelaire de ce *guignon* qui le tourmenta toute sa vie et qui n'épargna pas son œuvre : entre ce guignon, qui est la loi de sa condition, et la spiritualité, qui est l'idéal de sa vocation, le poète trace sa voie, qui n'est sinueuse qu'en apparence, car il poursuit la découverte de l'unique secret qui l'obsède, et dont les correspondances, les symboles et les allégories sont les signes mystérieux enfermés dans le langage. Aussi la poésie est-elle le plus efficace des « paradis artificiels », et peut-être la clé d'un vrai paradis, même s'il lui arrive de devoir traverser l'Enfer de l'Ennui. Baudelaire l'a dit lui-même : le poète est pris entre l'Enfer de son expérience et le Paradis de sa nostalgie, et, de ce déchirement, il ne peut se sauver que par le poème, qui est à la fois l'aveu et l'exorcisme de son état.

Que dire alors de la place de ce poète dans l'histoire de la poésie ? Il vient certes après le romantisme dont il est l'héritier; mais alors que le *spleen* est, à certains égards, un mal du siècle à la mode de 1850, et que, même, Baudelaire ne fut pas indifférent aux prestiges de la morbidité romantique, comment se fait-il que *spleen* et morbidité soient à la fois métamorphosés et démentis par l'illumination purificatrice du langage ? De même, l'enthousiasme ou l'exaltation refusent le plus souvent la rhétorique, et, finalement, le mot même de *lyrisme*, qui devrait convenir à cette poésie, semble dépassé. Car, au-delà du chant, le poème instaure la rencontre décisive du sensible et de l'intelligible, et, à travers le romantisme de son héritage et de son expérience, Baudelaire rejoint le « *foyer saint des rayons primitifs* * », celui même qu'avait entrevu, de l'Antiquité à la Renaissance, la tradition néo-platonicienne.

C'est dire que la poésie baudelairienne est d'abord une redécouverte; ce poète, qui est aussi un critique, ne pense pas qu'il puisse lui suffire de simplement se confesser en vers; s'il croit à l'inspiration, lui qui écrit difficilement, c'est à condition qu'elle ne produise pas seulement des modulations, mais qu'elle naisse du double effort de l'âme et de l'esprit dans la maîtrise du verbe : ce n'est pas sans raison que Baudelaire a, semble-t-il, attaché tant de prix à ce texte d'Edgar Poe qu'il a traduit sous le titre *Genèse d'un poème* et où il a sans doute trouvé

* *Bénédiction.*

ce que très exactement il cherchait : la résurrection moderne de la tradition qui voit dans le poème une perfection de langage et un absolu de spiritualité, grâce à quoi peut se conquérir cette identité essentielle de l'âme et du verbe qui est bien l'antique et inlassable ambition de la poésie.

Ainsi, de quoi sont faites *les Fleurs du mal ?* Comme toute poésie intégrale, elles sont faites de la rencontre d'une expérience et d'un langage, rencontre d'autant plus exacte et féconde que Baudelaire a voulu l'opérer sous le signe de la lucidité spirituelle et de la perfection formelle. Certes il y a des degrés dans cet accomplissement et Baudelaire a évolué; le recueil des *Fleurs du mal* reflète cette évolution; évolution d'ailleurs qui n'est pas seulement chronologique : s'il est bien vrai que le poète n'atteint la pleine conscience de sa vocation et de ses exigences qu'après 1850, il est vrai aussi que, même après cette date, il n'est pas toujours au même niveau de son âme et de son art : il porte en lui une multiplicité simultanée qui crée, parmi les poèmes, comme une sorte de retard intérieur. Un poème comme *l'Ennemi*, qui est probablement de peu antérieur à 1855, est en porte à faux entre une certaine imagerie romantique et le rêve d'un dépassement qui conduirait à la fois à une poésie renouvelée et à une restauration spirituelle; il suffirait que se pût découvrir, pour l'épanouissement de « *fleurs nouvelles, le mystique aliment qui ferait leur vigueur* ». Ce thème de la *nouveauté*, qui revient si constamment chez Baudelaire, est le symbole même de sa situation entre l'ennui et l'espérance, entre le doute source de stérilité et la foi source de fécondité.

Le célèbre poème *Bénédiction*, qui est le premier des *Fleurs du mal* dans les deux éditions publiées par Baudelaire lui-même, date, à en juger par les souvenirs littéraires dont il témoigne, des environs de 1850; aussi est-il construit sur ce thème du contraste entre la malédiction du poète et sa vocation surnaturelle qui est un des lieux communs de la poésie romantique : qu'il suffise d'évoquer Vigny. Or il recèle tout aussi bien, dans sa résonance générale et dans la vibration de certains vers, comme une avance implicite sur le moment littéraire où il fut écrit.

De même, Baudelaire reçoit les célèbres *Correspondances* de la tradition d'un certain romantisme ésotérique tout nourri de Swedenborg, et il est significatif qu'on puisse discuter, sans décision possible, sur la question de savoir si le sonnet des *Fleurs du mal* a été écrit dans les années 1846-1847 ou en 1855. Peu importe, à notre avis, d'ailleurs, car ce qui compte, dans ce poème comme dans d'autres, c'est que, ce qu'il reçoit, Baudelaire en fait à la fois le miroir de son expérience et le tremplin de sa nouveauté. Les *Correspondances* swedenborgiennes, comme les lieux communs romantiques de *Bénédiction*, deviennent les figures d'une aventure à la fois littéraire et personnelle, car c'est l'aventure où se rejoignent le poète et le poème : qu'ils coïncident et c'est alors la conquête de la perfection poétique, mais si, entre eux, s'insèrent tension ou discordance, c'est alors l'épreuve de la souffrance poétique. Toute l'œuvre de Baudelaire s'ordonne entre cette conquête et cette souffrance; les plus beaux poèmes sont ceux où conquête et souffrance parviennent, au-delà de la cruauté du duel, à l'émouvante harmonie du contrepoint.

Ainsi il n'est pas de poésie sans expérience, que cette expérience soit littéraire ou personnelle, mystique ou satanique, sentimentale ou sensuelle, et il y a, dans *les Fleurs du mal*, toute l'expérience d'un être riche de culture et de passion, de spiritualité et de sensualité. Mais il n'est pas de poésie sans langage, et il y a, dans *les Fleurs du mal*, l'ambition d'enfermer tout le langage dans cette nécessaire brièveté du poème, si chère à la fois à Edgar Poe et à Baudelaire; voilà ce qu'est, chez Baudelaire, le « culte de la forme », mais nous n'en sommes pas moins aux antipodes de l'art pour l'art; car cette totalité du langage dans l'unité du poème, qui exige l'effort technique le plus minutieux et le plus efficace, est aussi et surtout l'*acte* par lequel l'expérience passe de l'univers destructeur de la vie et du temps dans le monde stable et définitif de la poésie.

Baudelaire est d'autant plus attaché à exploiter toutes les ressources du langage que son expérience est l'expérience de l'angoisse, de l'instabilité, de la mort lente, de l'universelle déperdition, l'expérience aussi du rêve, de la nostalgie, et du paradis perdu. Toute cette expérience gravite autour de l'image du *péché :* que Baudelaire l'ait véritablement interprétée dans son sens chrétien orthodoxe, ou qu'il n'y ait vu qu'un symbole, il reste que cette image le hante, que le péché est partout présent dans son œuvre; or cette image implique que l'expérience du mal et de la mort se relie à un remords permanent, lui-même issu du souvenir inaltérable d'une époque perdue. La poésie ne serait-elle pas cet effort pour réunir dans l'unité verbale du poème les deux termes indissolubles de l'état de péché : la conscience de l'impureté et la nostalgie de la pureté? Est-ce ce que Baudelaire a voulu dire par ce titre qui réunit indissolublement deux mots et deux images qu'on croirait incompatibles? Il est permis de le penser, même si ce titre a été suggéré à Baudelaire par un de ses amis.

En tout cas, les grands thèmes baudelairiens du malheur, l'Ennui, la Perversité, le Guignon, portent la marque de cette ambiguïté de conscience et de nostalgie; Satan lui-même n'exerce sa séduction que parce qu'il porte en lui le souvenir de l'Ange. Enfin la Femme, c'est Jeanne Duval et Madame Sabatier, et l'amour, l'inéluctable confusion de la chute et de l'ascension.

Ainsi l'expérience du poète se résout-elle, dans la diversité de ses effets, en un immense rythme dramatique, le rythme même du péché, le rythme spirituel qui alterne ou heurte, qui révèle ou cache, à la fois « *le gouffre obscur où mon cœur est tombé* * » et « *le feu clair qui remplit les espaces limpides* ** ». C'est aussi la raison pour laquelle la Ville occupe dans l'esprit du poète une place éminente, et les *Tableaux parisiens* sont comme le centre symbolique des *Fleurs du mal :* l'ambiguïté de la Ville est la figure sensible de l'ambiguïté spirituelle et l'on comprend que, comme il est dit dans *le Cygne*, la Ville tout entière ne soit pour le poète qu'allégorie ***.

Or l'allégorie résume, pour ainsi dire, et concentre, le pouvoir du langage, et, dans ce poème du *Cygne*, le spectacle de la Ville incarné dans l'ordre des mots, des sons et des rythmes, suscite la multiple image de l'univers du malheur :

Aussi devant ce Louvre une image m'opprime.

C'est l'un des quelques vers clés des *Fleurs du mal :* une expérience, concrète, quotidienne; une image, multiple et universelle; une obsession douloureuse et inéluctable, où l'expérience et l'image trouvent à la fois leur synthèse et leur sens; enfin un vers, un alexandrin, avec son prestige et son ordre.

* *De Profundis clamavi.*
** *Élévation.*
*** ... *tout pour moi devient allégorie.*

Car Baudelaire, qui écrivait, parlant évidemment de lui-même, dans le grand article nécrologique sur Delacroix : « *Je connais un poète, d'une nature toujours orageuse et vibrante, qu'un vers de Malherbe, symétrique et carré de mélodie, jette dans de longues extases* », est d'autant plus attaché à l'ordonnance du langage que son expérience est elle-même plus orageuse et angoissée. La conjonction de la *quadrature* et de la *mélodie*, qui définit admirablement l'ordonnance poétique, est bien la technique d'assomption de *l'orage* en *extase*, comme l'affirme, dans sa syntaxe même, la phrase que nous venons de citer. L'essentiel de Baudelaire et de sa poésie est dans ce mouvement, mais sa richesse tient à ce que le langage enregistre, avec l'aide de la conscience, toutes les étapes de cet itinéraire verbal et spirituel. Entre l'orage et l'extase, il y a place pour une véritable histoire et pour la distinction des divers étages de l'achèvement poétique. Il y a place tout aussi bien pour la discordance ou l'harmonie du souvenir et de la nostalgie, de l'actualité et de l'imaginaire, de la conscience et du rêve.

Ainsi s'explique sans doute l'importance de Baudelaire : il approfondit le romantisme mais ressent comme une nécessité, et de son art et de son âme, l'impératif de l'ordonnance; est-ce par hasard que tant de vers baudelairiens *sonnent* comme les plus durables des vers raciniens ? Il témoigne de ce symbolisme de la forme qui est la condition de sa libération, et ainsi il rend possible tout le mouvement de la poésie moderne qui, de Mallarmé à Valéry, a voulu que la libération des pouvoirs du langage fût solidaire d'un ordre autonome mais non moins exigeant.

Et lui, qui aimait tant parler de *spiritualisme*, lui qui juge l'art et les artistes selon la présence et la densité de leur *âme*, il se veut impeccable technicien du langage parce qu'il veut pour sa poésie une âme, qui soit certes la sienne mais exaltée, et peut-être rachetée, dans l'acte même de créer. En tout cas, il n'a, malgré certaines apparences, rien de commun avec le formalisme de l'art pour l'art : la forme est ici non pas un objet impassible se suffisant à lui-même, mais véritablement l'ordre d'incarnation des ruptures et des violences, des harmonies et des extases intérieures. On voudra bien excuser cette formule d'apparence peut-être un peu pédante, mais « *l'intériorité de la forme* », telle est chez Baudelaire le mode d'incarnation de l'âme dans l'art. En le lisant, il convient de se soumettre à cette ascèse qui exige qu'on adhère simultanément à la quadrature de la forme et à la vibration de l'intériorité. Images et symboles, rythmes, sons et ordonnances, sont les lieux de contact et de fusion de ces deux termes de l'existence poétique. Et les poèmes se classent hiérarchiquement selon la complexité, la plénitude et la perfection du rapport ainsi vécu et exprimé.

Il ne reste, pour conclure, qu'à lui donner la parole en citant l'*Épilogue* qu'il avait lui-même ébauché :

O vous, soyez témoins que j'ai fait mon devoir
Comme un parfait chimiste et comme une âme sainte.

Car j'ai de chaque chose extrait la quintessence,

Tu m'as donné ta boue et j'en ai fait de l'or.

HENRI LEMAITRE

SOMMAIRE BIOGRAPHIQUE

SOMMAIRE BIOGRAPHIQUE

1821 (9 avril) : Naissance à Paris, rue Hautefeuille (à l'emplacement actuel de la Librairie Hachette) de Charles-Pierre Baudelaire, fils de François Baudelaire (né en 1759) et de Caroline Archimbaut-Dufaÿs (née en 1793).
(7 juin) : Baptême à Saint-Sulpice.

1827 (10 février) : Mort de François Baudelaire.

1828 (8 novembre) : Mme Baudelaire épouse le chef de bataillon Jacques Aupick (né en 1789).

1832 : Le colonel Aupick est nommé à Lyon.

1833 (octobre) : Charles Baudelaire est inscrit comme élève interne de la classe de cinquième au Collège royal de Lyon.

1836 : Nomination du colonel Aupick à l'État-Major de Paris.
(1er mars) : Charles Baudelaire élève de Louis-le-Grand.

1837 : Baudelaire, qui est en seconde, obtient un deuxième prix de vers latins au concours général.

1838 : Voyage dans les Pyrénées avec M. et Mme Aupick. C'est après ce voyage qu'il aurait écrit le poème : *Incompatibilité*.

1839 (18 avril) : Baudelaire exclu de Louis-le-Grand.
(Août) : Baudelaire reçu bachelier. Son beau-père devient général de brigade.

1840 : Baudelaire se lie d'amitié, à la pension Lévêque et Bailly, place de l'Estrapade, avec les jeunes poètes Gustave Le Vavasseur et Ernest Prarond.

1841 (9 juin) : Sur décision du conseil de famille, le général Aupick fait embarquer son beau-fils à Bordeaux sur un navire à destination de Calcutta.

(1er - 19 septembre) : Séjour à l'Ile Maurice chez M. et Mme Autard de Bragard.

(14 octobre) : Lettre au général Aupick du capitaine commandant le navire, qui signale la volonté du jeune homme d'interrompre le voyage. Baudelaire ira jusqu'à la Réunion mais non jusqu'à Calcutta.

(20 octobre) : Envoi du sonnet *A une dame créole* aux Autard de Bragard.

1842 : Retour en France en février ou mars. Liaison avec Jeanne Duval, mulâtresse que Baudelaire avait connue au théâtre de la Porte Saint-Antoine. Vers la même époque, il se lie d'amitié avec Félix Tournachon, plus connu sous son pseudonyme de photographe, Nadar.

(9 avril) : Baudelaire atteint sa majorité et entre en possession de l'héritage paternel : 75 000 francs.

(Juin) : Baudelaire s'installe 10, quai de Béthune, île Saint-Louis.

1843 (Février) : Débuts littéraires dans un recueil collectif, *Vers*, publié sous les noms de G. Le Vavasseur, Ernest Prarond et A. Argonne, mais avec la collaboration anonyme de Baudelaire.

(Mai) : Installation à l'Hôtel Pimodan (Hôtel Lauzun), dans l'île Saint-Louis, 17, quai d'Anjou. Relations avec le peintre Fernand de Boisdenier qui habite ce même hôtel où il reçoit, entre autres, Théophile Gautier et Mme Sabatier, et où se réunit le « Club des Haschischins » (cf. *les Paradis artificiels*). A l'hôtel Pimodan habite aussi un marchand de tableaux, peintre à ses heures, Arondel, auprès duquel Baudelaire contracte des dettes qui pèseront toute sa vie sur sa situation financière.

1844 : Baudelaire collabore à un recueil anonyme, *Mystères galants des théâtres de Paris*, paru le 2 mars.

(Juillet) : Mme Aupick et le conseil de famille décident de doter Baudelaire d'un conseil judiciaire.

(21 septembre) : Désignation de Me Ancelle, notaire à Neuilly, comme conseil judiciaire.

1845 (Avril) : Publication du *Salon de 1845* sous le nom de Baudelaire-Dufaÿs.

(25 mai) : *l'Artiste* publie, sous la signature de Baudelaire-Dufaÿs, le sonnet *A une dame créole.*

1846 (Février) : *L'Esprit public* publie, signé de Baudelaire, *le Jeune Enchanteur;* il s'agissait en fait de la traduction d'une nouvelle anglaise du révérend Croly, parue en 1836.

(3 mars) : Dans le *Corsaire-Satan : Choix de Maximes consolantes sur l'Amour.*

(15 avril) : Dans *l'Esprit public : Conseils aux jeunes littérateurs.*

(Mai) : Publication du *Salon de 1846* (avec annonce sur la couverture de : *les Lesbiennes*, poésies par Baudelaire-Dufaÿs, *le Catéchisme de la Femme aimée*, par le même).

(6 septembre) : Dans *l'Artiste : l'Impénitent (Don Juan aux Enfers).*

(13 décembre) : Dans *l'Artiste : A une Indienne (A une Malabaraise).*

1847 (Janvier) : Dans le *Bulletin de la Société des gens de lettres : la Fanfarlo*, nouvelle où Baudelaire se peint lui-même sous les traits de Samuel Cramer.

(Août) : Marie Daubrun joue dans *la Belle aux Cheveux d'Or.* Certains font remonter à cette année-là la liaison du poète avec elle.

(28 novembre) : Le général Aupick commandant de l'École Polytechnique.

1848 (24 février) : Baudelaire sur les barricades.

(27 février-1er mars) : Deux numéros d'un journal démocratique, *le Salut public*, dont les rédacteurs sont Champfleury, Baudelaire et Toubin.

(10 avril-6 mai) : Baudelaire secrétaire de rédaction de *la Tribune nationale*, journal républicain modéré.

(13 avril) : Le général Aupick ministre plénipotentiaire à Constantinople.

(15 juillet) : Dans *la Liberté de penser*, première traduction d'un conte d'Edgar Poe par Baudelaire : *Révélation magnétique.*

(20 octobre) : Baudelaire à Châteauroux comme rédacteur en chef du journal conservateur *le Représentant de l'Indre.* Tentative sans suite.

(Novembre) : Dans *l'Écho des marchands de vin : le Vin de l'Assassin.*

1849 : Relations d'amitié avec le peintre Courbet et l'éditeur Poulet-Malassis.

1850 (Juin) : Dans *le Magasin des familles : l'Ame du vin* et *Châtiment de l'orgueil*, donnés comme devant appartenir à un recueil de poèmes : *les Limbes*.

1851 (Février) : Le général Aupick refuse le poste d'ambassadeur à Londres.
(7-12 mars) : Dans *le Messager de l'Assemblée : du Vin et du Haschisch*, première rédaction d'une partie des *Paradis artificiels*.
(9 avril) : Dans la même revue, onze poèmes présentés comme faisant partie d'un recueil intitulé *les Limbes*.
(18 juin) : Le général Aupick ambassadeur à Madrid.

1852 (Mars-avril) : Dans *la Revue de Paris : Edgar Allan Poe, sa vie et ses ouvrages*.
(9 décembre) : Lettre à Madame Sabatier avec envoi du poème *A celle qui est trop gaie*.

1853 (1er mars) : Dans *l'Artiste :* traduction du *Corbeau* d'Edgar Poe.
(8 mars) : Aupick nommé sénateur.
(27 mars) : Dans *le Monde littéraire :* traduction de la *Philosophie de l'ameublement* de Poe.
(17 avril) : Dans la même revue : l'essai *Morale du Joujou*.
(3 et 9 mai) : Lettres à Madame Sabatier avec envoi de *Réversibilité* et *Confession*.

1854 (Février) : Envoi à la même du *Flambeau vivant* (7 février) et, peu après, de *l'Aube spirituelle*. Autres envois de poèmes à Madame Sabatier : le 16 février : *Que diras-tu ce soir...*, le 8 mai : *Hymne* (qui ne paraîtra que dans *les Épaves* en 1866). Cette suite d'envois témoigne de l'importance du personnage de Madame Sabatier, à l'égard de laquelle Baudelaire se comportera de façon énigmatique. Il est alors pris dans le drame des deux amours, celui de Jeanne Duval et celui de Madame Sabatier, drame qui, en devenant métaphysique, sera la source du thème baudelairien de la *double postulation*.
(25 juillet 1854-20 avril 1855) : Dans *le Pays :* traduction des *Histoires extraordinaires* d'Edgar Poe.

1855 (26 mai-12 août) : Dans *le Pays*, puis dans *le Portefeuille : l'Exposition universelle* (articles sur les œuvres d'art exposées).
(1er juin) : Dans *la Revue des Deux Mondes :* dix-huit

poèmes sous le titre, pour la première fois : *les Fleurs du mal.*

(Août) : Dans le recueil *Fontainebleau, Hommage à C. F. Denecourt : le Crépuscule du soir* et *la Solitude*, premiers poèmes en prose.

1856 (Mars) : Publication de la traduction des *Histoires extraordinaires* de Poe.

(30 décembre) : Contrat avec les éditeurs Poulet-Malassis et de Broise (d'Alençon) pour la vente des *Fleurs du mal* et de *Bric-à-brac esthétique* (premier titre des *Curiosités esthétiques*, projet de recueil de critique d'art qui ne sera jamais réalisé du vivant de Baudelaire). Poulet-Malassis, qui croit au génie de Baudelaire, fera toujours preuve à son égard de la plus fidèle amitié.

1857 (4 février) : Remise du manuscrit des *Fleurs du mal.*

(8 mars) : Publication de la traduction des *Nouvelles Histoires extraordinaires* de Poe.

(28 avril) : Mort du général Aupick. La mère de Baudelaire se retirera bientôt à Honfleur.

(25 juin) : Publication des *Fleurs du mal.*

(5 juillet) : Article de Gustave Bourdin dans *le Figaro* dénonçant le recueil. Il est possible que cet article ait été à l'origine des poursuites judiciaires dont le livre allait être l'objet.

(11 juillet) : Lettre de Baudelaire à Poulet-Malassis lui signalant la saisie des exemplaires en vente à Paris.

(18 août) : Lettre à Madame Sabatier pour lui demander s'il lui serait possible d'intervenir en sa faveur auprès de ses juges.

(20 août) : Procès des *Fleurs du mal.* Réquisitoire d'Ernest Pinard (qui avait exercé les mêmes fonctions dans le procès de *Madame Bovary* en janvier de la même année). Plaidoirie de Me Chaix d'Est-Ange. Condamnation de l'auteur et des éditeurs : amendes et suppression de six poèmes.

(24 août) : Dans *le Présent :* six *Poèmes nocturnes* (poèmes en prose).

(30 août) : Lettre écrite de Guernesey à Baudelaire par Victor Hugo.

(31 août) : Rupture avec Madame Sabatier qui s'était donnée à lui la veille.

1er et 15 octobre : Dans *le Présent : Quelques caricaturistes français et étrangers.*

(18 octobre) : Dans *l'Artiste :* article sur *Madame Bovary.*

1858 (13 mai) : La traduction des *Aventures d'Arthur Gordon Pym* est mise en vente.

(30 septembre) : Dans la *Revue contemporaine : le Haschisch* (première partie des *Paradis artificiels*).

1859 (13 mars) : Dans *l'Artiste :* article sur Théophile Gautier qui paraîtra ensuite en plaquette avec une lettre-préface de Hugo contenant, à propos des *Fleurs du mal*, la célèbre formule du *frisson nouveau.*

(20 avril) : Dans *la Revue française*, traduction sous le titre *la Genèse d'un poème*, d'un texte d'Edgar Poe, *Philosophy of composition.*

(Juin-juillet) : Dans la *Revue française : Salon de 1859.*

1860 (1er janvier) : Contrat avec Poulet-Malassis pour une seconde édition des *Fleurs du mal*, et pour les *Paradis artificiels*, les *Opinions littéraires* (articles de critique littéraire qui ne seront réunis qu'après la mort de l'auteur sous le titre non baudelairien *l'Art romantique*) et les *Curiosités esthétiques* (articles de critique d'art).

(15-31 janvier) : Dans la *Revue contemporaine : Un mangeur d'opium* (deuxième partie des *Paradis artificiels*).

(17 février) : Lettre admirative de Baudelaire à Richard Wagner.

(Mai) : Publication des *Paradis artificiels* avec annonce sur la couverture des *Réflexions sur quelques-uns de mes contemporains* (autre titre des *Opinions littéraires*).

1861 (9 février) : Annonce de la seconde édition des *Fleurs du mal* dans *le Journal de la librairie.*

(1er avril) : Dans *la Revue européenne : Richard Wagner et Tannhäuser à Paris*, étude qui paraîtra en plaquette au mois de mai. Lettre de Baudelaire à sa mère où est mentionné pour la première fois un projet de journal intime sous le titre *Mon Cœur mis à nu.*

(6 mai) : Admirable lettre de Baudelaire à Madame Aupick, qui marque un tournant non seulement dans les relations de la mère et du fils, mais aussi dans la vie intérieure du poète.

(24 mai) : Cession à Poulet-Malassis et à de Broise du droit exclusif de reproduire ses œuvres parues et à paraître. Cette cession sera renouvelée au profit du seul Poulet-Malassis le 1er juillet de l'année suivante.

(1er novembre) : Dans *la Revue fantaisiste* de Catulle Mendès : neuf poèmes en prose.

(Décembre) : Candidature de Baudelaire à l'Académie au fauteuil de Lacordaire. Démarche auprès de Sainte-Beuve, qui finalement conseille de renoncer, ce que fait Baudelaire le 10 février. A l'occasion de cette candidature, relations d'amitié avec Vigny.

1862 (23 janvier) : « Aujourd'hui 23 janvier 1862, j'ai subi un singulier avertissement, j'ai senti passer sur moi le vent de l'aile de l'imbécillité. » (Note de *Fusées*.)

(Août) : Dans le tome IV des *Poètes français* (anthologie d'Eugène Crépet) sept poèmes de Baudelaire avec une introduction de Gautier, et sept notices de Baudelaire sur divers poètes (insérées dans l'édition posthume de *l'Art romantique*).

(26-27 août, 24 septembre) : Dans *la Presse :* vingt poèmes en prose avec une lettre-dédicace à Arsène Houssaye.

(6 septembre) : Dans *The Spectator* de Londres, article sur Baudelaire de Swinburne, article qui inaugure le développement considérable de l'influence de Baudelaire en Angleterre.

(12 septembre) : Arrestation, pour dettes, de Poulet-Malassis, qui, ultérieurement, se réfugiera en Belgique.

1863 (13 janvier) : Cession à l'éditeur Hetzel des droits de publication des *Fleurs du mal* et des *Poèmes en prose*, bien que ces droits aient déjà été cédés à Poulet-Malassis.

(Juin-Décembre) : Dans *la Revue nationale et étrangère :* sept poèmes en prose.

(13 août) : Mort d'Eugène Delacroix. Baudelaire écrit l'article nécrologique qui paraîtra en septembre-novembre dans *l'Opinion nationale.*

(26, 29 novembre-3 décembre) : Dans *le Figaro : le Peintre de la vie moderne* (étude sur Constantin Guys).

1864 (7, 14 février) : Dans *le Figaro :* six poèmes en prose sous le titre *le Spleen de Paris.*

(24 avril) : Baudelaire émigre en Belgique et s'installe à Bruxelles où il espère être mieux compris qu'à Paris. Sa déception sera à l'origine de la violence de ses écrits sur la Belgique.

(Mai-Juin) : Cinq conférences de Baudelaire à Bruxelles, sur Delacroix et Gautier en particulier : succès médiocre.

(2 juillet) : Dans *la Vie parisienne : les Yeux des Pauvres*, poème en prose.

(13 août) : Dans la même revue : *les Projets*, poème en prose.

(25 décembre) : Dans *la Revue de Paris :* six poèmes en prose sous le titre *le Spleen de Paris*.

1865 (1er février) : Dans *l'Artiste*, article de Mallarmé, *la Symphonie littéraire*, partiellement consacré à Baudelaire.

(15 février) : Aggravation de la maladie de Baudelaire.

(16 mars) : Annonce d'une traduction d'Edgar Poe, les *Histoires grotesques et sérieuses*.

(16, 30 novembre, puis 23 décembre) : Dans *l'Art*, article dithyrambique de Verlaine sur Baudelaire, qui écrit à ce sujet que « ces jeunes gens » lui font peur.

1866 (Février) : A en juger d'après sa correspondance, particulièrement avec sa mère, Baudelaire ressent alors des troubles croissants. Publication des *Épaves* à la fin du mois.

(Mars) : A Namur, Baudelaire est victime d'un malaise dans une église, à la suite de quoi apparaissent les premiers symptômes d'aphasie et d'hémiplégie.

(31 mars) : Dans *le Parnasse contemporain*, quinze poèmes sous le titre *Nouvelles Fleurs du mal*. La livraison de juin du *Parnasse contemporain* donnera le sonnet *le Couvercle* qui avait déjà paru dans *le Boulevard* en 1862.

(2 juillet) : Baudelaire, privé de la parole, mais parfaitement lucide, est ramené par sa mère à Paris.

(4 juillet) : Il entre à la maison de santé du docteur Duval, rue du Dôme, où viendront le visiter de nombreux « confrères », entre autres Sainte-Beuve, Banville, Leconte de Lisle.

1867 (31 août) : Mort de Charles Baudelaire, dans les bras de sa mère. Ce même jour commence, dans *la Revue nationale*, la publication des derniers poèmes en prose.

(2 septembre) : Obsèques à Saint-Honoré-d'Eylau; inhumation au cimetière Montparnasse auprès du général Aupick. Quelques mots sont prononcés sur la tombe du poète par ses amis Banville et Asselineau.

1868 (Décembre) : Publication, chez Michel Lévy, des *Curiosités esthétiques* et de la troisième édition des *Fleurs du mal* avec une préface de Gautier.

1869 : Publication chez le même éditeur de *l'Art romantique* et des *Petits Poèmes en prose* qui seront suivis des traductions d'Edgar Poe.

1871 : Mort, à Honfleur, de Madame Aupick, qui sera inhumée au cimetière Montparnasse.

1887 : Première édition d'*Œuvres posthumes et Correspondances inédites* par les soins d'Eugène Crépet, avec en particulier *Fusées* et *Mon Cœur mis à nu* (Quantin, éditeur).

1890 (3 janvier) : Mort de Madame Sabatier.

1906 : Publication des *Lettres (1841-1866)* par Féli Gautier (Mercure de France).

1908 : Deuxième édition plus complète que la première d'*Œuvres posthumes* par les soins de Jacques Crépet (Mercure de France).

1918 : Première édition par Jacques Crépet des *Lettres à sa mère.*

LES FLEURS DU MAL

AU POÈTE IMPECCABLE

AU PARFAIT MAGICIEN ÈS LETTRES FRANÇAISES
A MON TRÈS CHER ET TRÈS VÉNÉRÉ

MAITRE ET AMI

THÉOPHILE GAUTIER

AVEC LES SENTIMENTS
DE LA PLUS PROFONDE HUMILITÉ
JE DÉDIE
CES FLEURS MALADIVES

C. B.

AU LECTEUR

La sottise, l'erreur, le péché, la lésine,
Occupent nos esprits et travaillent nos corps,
Et nous alimentons nos aimables remords,
4 Comme les mendiants nourrissent leur vermine.

Nos péchés sont têtus, nos repentirs sont lâches;
Nous nous faisons payer grassement nos aveux,
Et nous rentrons gaiement dans le chemin bourbeux,
8 Croyant par de vils pleurs laver toutes nos taches.

Sur l'oreiller du mal c'est Satan Trismégiste
Qui berce longuement notre esprit enchanté,
Et le riche métal de notre volonté
12 Est tout vaporisé par ce savant chimiste.

C'est le Diable qui tient les fils qui nous remuent!
Aux objets répugnants nous trouvons des appas;
Chaque jour vers l'Enfer nous descendons d'un pas,
16 Sans horreur, à travers des ténèbres qui puent.

Ainsi qu'un débauché pauvre qui baise et mange
Le sein martyrisé d'une antique catin,
Nous volons au passage un plaisir clandestin
20 Que nous pressons bien fort comme une vieille orange.

Serré, fourmillant, comme un million d'helminthes,
Dans nos cerveaux ribote un peuple de Démons,
Et, quand nous respirons, la Mort dans nos poumons
24 Descend, fleuve invisible, avec de sourdes plaintes.

Si le viol, le poison, le poignard, l'incendie,
N'ont pas encor brodé de leurs plaisants dessins
Le canevas banal de nos piteux destins,
28 C'est que notre âme, hélas! n'est pas assez hardie.

Mais parmi les chacals, les panthères, les lices,
Les singes, les scorpions, les vautours, les serpents,

Les monstres glapissants, hurlants, grognants, ram-
32 Dans la ménagerie infâme de nos vices, [pants,

Il en est un plus laid, plus méchant, plus immonde !
Quoiqu'il ne pousse ni grands gestes ni grands cris,
Il ferait volontiers de la terre un débris
36 Et dans un bâillement avalerait le monde;

C'est l'Ennui ! — l'œil chargé d'un pleur involontaire,
Il rêve d'échafauds en fumant son houka.
Tu le connais, lecteur, ce monstre délicat,
40 — Hypocrite lecteur, — mon semblable, — mon frère!

SPLEEN ET IDÉAL

I. — BÉNÉDICTION

Lorsque, par un décret des puissances suprêmes,
Le Poète apparaît en ce monde ennuyé,
Sa mère épouvantée et pleine de blasphèmes
4 Crispe ses poings vers Dieu, qui la prend en pitié :

— « Ah ! que n'ai-je mis bas tout un nœud de vipères,
Plutôt que de nourrir cette dérision !
Maudite soit la nuit aux plaisirs éphémères
8 Où mon ventre a conçu mon expiation !

Puisque tu m'as choisie entre toutes les femmes
Pour être le dégoût de mon triste mari,
Et que je ne puis pas rejeter dans les flammes,
12 Comme un billet d'amour, ce monstre rabougri,

Je ferai rejaillir ta haine qui m'accable
Sur l'instrument maudit de tes méchancetés,
Et je tordrai si bien cet arbre misérable
16 Qu'il ne pourra pousser ses boutons empestés ! »

Elle ravale ainsi l'écume de sa haine,
Et, ne comprenant pas les desseins éternels,
Elle-même prépare au fond de la Géhenne
20 Les bûchers consacrés aux crimes maternels.

Pourtant, sous la tutelle invisible d'un Ange,
L'Enfant déshérité s'enivre de soleil,
Et dans tout ce qu'il boit et dans tout ce qu'il mange
24 Retrouve l'ambroisie et le nectar vermeil.

Il joue avec le vent, cause avec le nuage,
Et s'enivre en chantant du chemin de la croix;
Et l'Esprit qui le suit dans son pèlerinage
28 Pleure de le voir gai comme un oiseau des bois.

Tous ceux qu'il veut aimer l'observent avec crainte,
Ou bien, s'enhardissant de sa tranquillité,

Cherchent à qui saura lui tirer une plainte,
32 Et font sur lui l'essai de leur férocité.

Dans le pain et le vin destinés à sa bouche
Ils mêlent de la cendre avec d'impurs crachats;
Avec hypocrisie ils jettent ce qu'il touche,
36 Et s'accusent d'avoir mis leurs pieds dans ses pas.

Sa femme va criant sur les places publiques :
« Puisqu'il me trouve assez belle pour m'adorer,
Je ferai le métier des idoles antiques,
40 Et comme elles je veux me faire redorer;

Et je me soûlerai de nard, d'encens, de myrrhe,
De génuflexions, de viandes et de vins,
Pour savoir si je puis dans un cœur qui m'admire
44 Usurper en riant les hommages divins!

Et, quand je m'ennuierai de ces farces impies,
Je poserai sur lui ma frêle et forte main;
Et mes ongles, pareils aux ongles des harpies,
48 Sauront jusqu'à son cœur se frayer un chemin.

Comme un tout jeune oiseau qui tremble et qui pal-
J'arracherai ce cœur tout rouge de son sein, [pite,
Et, pour rassasier ma bête favorite,
52 Je le lui jetterai par terre avec dédain ! »

Vers le Ciel, où son œil voit un trône splendide,
Le Poète serein lève ses bras pieux,
Et les vastes éclairs de son esprit lucide
56 Lui dérobent l'aspect des peuples furieux :

— « Soyez béni, mon Dieu, qui donnez la souffrance
Comme un divin remède à nos impuretés
Et comme la meilleure et la plus pure essence
60 Qui prépare les forts aux saintes voluptés!

Je sais que vous gardez une place au Poète
Dans les rangs bienheureux des saintes Légions,
Et que vous l'invitez à l'éternelle fête
64 Des Trônes, des Vertus, des Dominations.

Je sais que la douleur est la noblesse unique
Où ne mordront jamais la terre et les enfers,

Et qu'il faut pour tresser ma couronne mystique
68 Imposer tous les temps et tous les univers.

Mais les bijoux perdus de l'antique Palmyre,
Les métaux inconnus, les perles de la mer,
Par votre main montés, ne pourraient pas suffire
72 A ce beau diadème éblouissant et clair;

Car il ne sera fait que de pure lumière,
Puisée au foyer saint des rayons primitifs,
Et dont les yeux mortels, dans leur splendeur entière,
76 Ne sont que des miroirs obscurcis et plaintifs! »

II. — L'ALBATROS

Souvent, pour s'amuser, les hommes d'équipage
Prennent des albatros, vastes oiseaux des mers,
Qui suivent, indolents compagnons de voyage,
4 Le navire glissant sur les gouffres amers.

A peine les ont-ils déposés sur les planches,
Que ces rois de l'azur, maladroits et honteux,
Laissent piteusement leurs grandes ailes blanches
8 Comme des avirons traîner à côté d'eux.

Ce voyageur ailé, comme il est gauche et veule!
Lui, naguère si beau, qu'il est comique et laid!
L'un agace son bec avec un brûle-gueule,
12 L'autre mime, en boitant, l'infirme qui volait!

Le Poète est semblable au prince des nuées
Qui hante la tempête et se rit de l'archer;
Exilé sur le sol au milieu des huées,
16 Ses ailes de géant l'empêchent de marcher.

III. — ÉLÉVATION

Au-dessus des étangs, au-dessus des vallées,
Des montagnes, des bois, des nuages, des mers,
Par delà le soleil, par delà les éthers,
4 Par delà les confins des sphères étoilées,

Mon esprit, tu te meus avec agilité,
Et, comme un bon nageur qui se pâme dans l'onde,
Tu sillonnes gaiement l'immensité profonde
8 Avec une indicible et mâle volupté.

Envole-toi bien loin de ces miasmes morbides;
Va te purifier dans l'air supérieur,
Et bois, comme une pure et divine liqueur,
12 Le feu clair qui remplit les espaces limpides.

Derrière les ennuis et les vastes chagrins
Qui chargent de leur poids l'existence brumeuse,
Heureux celui qui peut d'une aile vigoureuse
16 S'élancer vers les champs lumineux et sereins;

Celui dont les pensers, comme des alouettes,
Vers les cieux le matin prennent un libre essor,
— Qui plane sur la vie, et comprend sans effort
20 Le langage des fleurs et des choses muettes!

IV. — CORRESPONDANCES

La Nature est un temple où de vivants piliers
Laissent parfois sortir de confuses paroles;
L'homme y passe à travers des forêts de symboles
4 Qui l'observent avec des regards familiers.

Comme de longs échos qui de loin se confondent
Dans une ténébreuse et profonde unité,
Vaste comme la nuit et comme la clarté,
8 Les parfums, les couleurs et les sons se répondent.

Il est des parfums frais comme des chairs d'enfants,
Doux comme les hautbois, verts comme les prairies,
11 — Et d'autres, corrompus, riches et triomphants,

Ayant l'expansion des choses infinies,
Comme l'ambre, le musc, le benjoin et l'encens,
14 Qui chantent les transports de l'esprit et des sens.

V

J'aime le souvenir de ces époques nues,
Dont Phœbus se plaisait à dorer les statues.
Alors l'homme et la femme en leur agilité
Jouissaient sans mensonge et sans anxiété,
5 Et, le ciel amoureux leur caressant l'échine,
Exerçaient la santé de leur noble machine.
Cybèle alors, fertile en produits généreux,
Ne trouvait point ses fils un poids trop onéreux,
Mais, louve au cœur gonflé de tendresses communes,
10 Abreuvait l'univers à ses tétines brunes.
L'homme, élégant, robuste et fort, avait le droit
D'être fier des beautés qui le nommaient leur roi;
Fruits purs de tout outrage et vierges de gerçures,
Dont la chair lisse et ferme appelait les morsures !

15 Le Poète aujourd'hui, quand il veut concevoir
Ces natives grandeurs, aux lieux où se font voir
La nudité de l'homme et celle de la femme,
Sent un froid ténébreux envelopper son âme
Devant ce noir tableau plein d'épouvantement.
20 O monstruosités pleurant leur vêtement !
O ridicules troncs ! torses dignes des masques !
O pauvres corps tordus, maigres, ventrus ou flasques,
Que le dieu de l'Utile, implacable et serein,
Enfants, emmaillota dans ses langes d'airain !

25 Et vous, femmes, hélas ! pâles comme des cierges,
Que ronge et que nourrit la débauche, et vous, vierges,
Du vice maternel traînant l'hérédité
Et toutes les hideurs de la fécondité !

Nous avons, il est vrai, nations corrompues,
30 Aux peuples anciens des beautés inconnues :
Des visages rongés par les chancres du cœur,
Et comme qui dirait des beautés de langueur;
Mais ces inventions de nos muses tardives
N'empêcheront jamais les races maladives
35 De rendre à la jeunesse un hommage profond,
— A la sainte jeunesse, à l'air simple, au doux front,
A l'œil limpide et clair ainsi qu'une eau courante,
Et qui va répandant sur tout, insouciante
Comme l'azur du ciel, les oiseaux et les fleurs,
40 Ses parfums, ses chansons et ses douces chaleurs !

VI. — LES PHARES

Rubens, fleuve d'oubli, jardin de la paresse,
Oreiller de chair fraîche où l'on ne peut aimer,
Mais où la vie afflue et s'agite sans cesse,
4 Comme l'air dans le ciel et la mer dans la mer;

Léonard de Vinci, miroir profond et sombre,
Où des anges charmants, avec un doux souris
Tout chargé de mystère, apparaissent à l'ombre
8 Des glaciers et des pins qui ferment leur pays,

Rembrandt, triste hôpital tout rempli de murmures,
Et d'un grand crucifix décoré seulement,
Où la prière en pleurs s'exhale des ordures,
12 Et d'un rayon d'hiver traversé brusquement;

Michel-Ange, lieu vague où l'on voit des Hercules
Se mêler à des Christs, et se lever tout droits
Des fantômes puissants qui dans les crépuscules
16 Déchirent leur suaire en étirant leurs doigts;

Colères de boxeur, impudences de faune,
Toi qui sus ramasser la beauté des goujats,
Grand cœur gonflé d'orgueil, homme débile et jaune,
20 Puget, mélancolique empereur des forçats,

Watteau, ce carnaval où bien des cœurs illustres,
Comme des papillons, errent en flamboyant,
Décors frais et légers éclairés par des lustres
24 Qui versent la folie à ce bal tournoyant,

Goya, cauchemar plein de choses inconnues,
De fœtus qu'on fait cuire au milieu des sabbats,
De vieilles au miroir et d'enfants toutes nues,
28 Pour tenter les démons ajustant bien leurs bas;

Delacroix, lac de sang hanté des mauvais anges,
Ombragé par un bois de sapins toujours vert,
Où, sous un ciel chagrin, des fanfares étranges
32 Passent, comme un soupir étouffé de Weber;

Ces malédictions, ces blasphèmes, ces plaintes,
Ces extases, ces cris, ces pleurs, ces *Te Deum*,
Sont un écho redit par mille labyrinthes;
36 C'est pour les cœurs mortels un divin opium!

C'est un cri répété par mille sentinelles,
Un ordre renvoyé par mille porte-voix;
C'est un phare allumé sur mille citadelles,
40 Un appel de chasseurs perdus dans les grands bois!

Car c'est vraiment, Seigneur, le meilleur témoignage
Que nous puissions donner de notre dignité
Que cet ardent sanglot qui roule d'âge en âge
44 Et vient mourir au bord de votre éternité!

VII. — LA MUSE MALADE

Ma pauvre muse, hélas! qu'as-tu donc ce matin?
Tes yeux creux sont peuplés de visions nocturnes,
Et je vois tour à tour réfléchies sur ton teint
4 La folie et l'horreur, froides et taciturnes.

Le succube verdâtre et le rose lutin
T'ont-ils versé la peur et l'amour de leurs urnes?
Le cauchemar, d'un poing despotique et mutin,
8 T'a-t-il noyée au fond d'un fabuleux Minturnes?

Je voudrais qu'exhalant l'odeur de la santé
Ton sein de pensers forts fût toujours fréquenté,
11 Et que ton sang chrétien coulât à flots rythmiques,

Comme les sons nombreux des syllabes antiques,
Où règnent tour à tour le père des chansons,
14 Phœbus, et le grand Pan, le seigneur des moissons.

VIII. — LA MUSE VÉNALE

O muse de mon cœur, amante des palais,
Auras-tu, quand Janvier lâchera ses Borées,
Durant les noirs ennuis des neigeuses soirées,
4 Un tison pour chauffer tes deux pieds violets?

Ranimeras-tu donc tes épaules marbrées
Aux nocturnes rayons qui percent les volets?
Sentant ta bourse à sec autant que ton palais,
8 Récolteras-tu l'or des voûtes azurées?

Il te faut, pour gagner ton pain de chaque soir,
Comme un enfant de chœur, jouer de l'encensoir,
11 Chanter des *Te Deum* auxquels tu ne crois guère,

Ou, saltimbanque à jeun, étaler tes appas
Et ton rire trempé de pleurs qu'on ne voit pas,
14 Pour faire épanouir la rate du vulgaire.

IX. — LE MAUVAIS MOINE

Les cloîtres anciens sur leurs grandes murailles
Etalaient en tableaux la sainte Vérité,

Dont l'effet, réchauffant les pieuses entrailles,
4 Tempérait la froideur de leur austérité.

En ces temps où du Christ florissaient les semailles,
Plus d'un illustre moine, aujourd'hui peu cité,
Prenant pour atelier le champ des funérailles,
8 Glorifiait la Mort avec simplicité.

— Mon âme est un tombeau que, mauvais cénobite,
Depuis l'éternité je parcours et j'habite;
11 Rien n'embellit les murs de ce cloître odieux.

O moine fainéant! quand saurai-je donc faire
Du spectacle vivant de ma triste misère
14 Le travail de mes mains et l'amour de mes yeux?

X. — L'ENNEMI

Ma jeunesse ne fut qu'un ténébreux orage,
Traversé çà et là par de brillants soleils;
Le tonnerre et la pluie ont fait un tel ravage,
4 Qu'il reste en mon jardin bien peu de fruits vermeils.

Voilà que j'ai touché l'automne des idées,
Et qu'il faut employer la pelle et les râteaux
Pour rassembler à neuf les terres inondées,
8 Où l'eau creuse des trous grands comme des tom-
[beaux.

Et qui sait si les fleurs nouvelles que je rêve
Trouveront dans ce sol lavé comme une grève
11 Le mystique aliment qui ferait leur vigueur?

— O douleur! ô douleur! Le Temps mange la vie,
Et l'obscur Ennemi qui nous ronge le cœur
14 Du sang que nous perdons croît et se fortifie!

XI. — LE GUIGNON

Pour soulever un poids si lourd,
Sisyphe, il faudrait ton courage !
Bien qu'on ait du cœur à l'ouvrage,
4 L'Art est long et le Temps est court.

Loin des sépultures célèbres,
Vers un cimetière isolé,
Mon cœur, comme un tambour voilé,
8 Va battant des marches funèbres.

— Maint joyau dort enseveli
Dans les ténèbres et l'oubli,
11 Bien loin des pioches et des sondes;

Mainte fleur épanche à regret
Son parfum doux comme un secret
14 Dans les solitudes profondes.

XII. — LA VIE ANTÉRIEURE

J'ai longtemps habité sous de vastes portiques
Que les soleils marins teignaient de mille feux,
Et que leurs grands piliers, droits et majestueux,
4 Rendaient pareils, le soir, aux grottes basaltiques.

Les houles, en roulant les images des cieux,
Mêlaient d'une façon solennelle et mystique
Les tout-puissants accords de leur riche musique
8 Aux couleurs du couchant reflété par mes yeux.

C'est là que j'ai vécu dans les voluptés calmes,
Au milieu de l'azur, des vagues, des splendeurs
11 Et des esclaves nus, tout imprégnés d'odeurs,

Qui me rafraîchissaient le front avec des palmes,
Et dont l'unique soin était d'approfondir
14 Le secret douloureux qui me faisait languir.

XIII. — BOHÉMIENS EN VOYAGE

La tribu prophétique aux prunelles ardentes
Hier s'est mise en route, emportant ses petits
Sur son dos, ou livrant à leurs fiers appétits
4 Le trésor toujours prêt des mamelles pendantes.

Les hommes vont à pied sous leurs armes luisantes
Le long des chariots où les leurs sont blottis,
Promenant sur le ciel des yeux appesantis
8 Par le morne regret des chimères absentes.

Du fond de son réduit sablonneux, le grillon,
Les regardant passer, redouble sa chanson;
11 Cybèle, qui les aime, augmente ses verdures,

Fait couler le rocher et fleurir le désert
Devant ces voyageurs, pour lesquels est ouvert
14 L'empire familier des ténèbres futures.

XIV. — L'HOMME ET LA MER

Homme libre, toujours tu chériras la mer !
La mer est ton miroir; tu contemples ton âme
Dans le déroulement infini de sa lame,
4 Et ton esprit n'est pas un gouffre moins amer.

Tu te plais à plonger au sein de ton image;
Tu l'embrasses des yeux et des bras, et ton cœur
Se distrait quelquefois de sa propre rumeur
8 Au bruit de cette plainte indomptable et sauvage.

Vous êtes tous les deux ténébreux et discrets :
Homme, nul n'a sondé le fond de tes abîmes ;
O mer, nul ne connaît tes richesses intimes,
12 Tant vous êtes jaloux de garder vos secrets !

Et cependant voilà des siècles innombrables
Que vous vous combattez sans pitié ni remord,
Tellement vous aimez le carnage et la mort,
16 O lutteurs éternels, ô frères implacables !

XV. — DON JUAN AUX ENFERS

Quand Don Juan descendit vers l'onde souterraine
Et lorsqu'il eut donné son obole à Charon,
Un sombre mendiant, l'œil fier comme Antisthène,
4 D'un bras vengeur et fort saisit chaque aviron.

Montrant leurs seins pendants et leurs robes ouvertes,
Des femmes se tordaient sous le noir firmament,
Et, comme un grand troupeau de victimes offertes,
8 Derrière lui traînaient un long mugissement.

Sganarelle en riant lui réclamait ses gages,
Tandis que Don Luis avec un doigt tremblant
Montrait à tous les morts errant sur les rivages
12 Le fils audacieux qui railla son front blanc.

Frissonnant sous son deuil, la chaste et maigre Elvire,
Près de l'époux perfide et qui fut son amant,
Semblait lui réclamer un suprême sourire
16 Où brillât la douceur de son premier serment.

Tout droit dans son armure, un grand homme de pierre
Se tenait à la barre et coupait le flot noir,
Mais le calme héros, courbé sur sa rapière,
20 Regardait le sillage et ne daignait rien voir.

XVI. — CHATIMENT DE L'ORGUEIL

En ces temps merveilleux où la Théologie
Fleurit avec le plus de sève et d'énergie,
On raconte qu'un jour un docteur des plus grands,
— Après avoir forcé les cœurs indifférents;
5 Les avoir remués dans leurs profondeurs noires;
Après avoir franchi vers les célestes gloires
Des chemins singuliers à lui-même inconnus,
Où les purs Esprits seuls peut-être étaient venus, —
Comme un homme monté trop haut, pris de panique,
10 S'écria, transporté d'un orgueil satanique :
« Jésus, petit Jésus ! je t'ai poussé bien haut !
Mais, si j'avais voulu t'attaquer au défaut
De l'armure, ta honte égalerait ta gloire,
Et tu ne serais plus qu'un fœtus dérisoire ! »

15 Immédiatement sa raison s'en alla.
L'éclat de ce soleil d'un crêpe se voila;
Tout le chaos roula dans cette intelligence,
Temple autrefois vivant, plein d'ordre et d'opulence,
Sous les plafonds duquel tant de pompe avait lui.
20 Le silence et la nuit s'installèrent en lui,
Comme dans un caveau dont la clef est perdue.
Dès lors il fut semblable aux bêtes de la rue,
Et, quand il s'en allait sans rien voir, à travers
Les champs, sans distinguer les étés des hivers,
25 Sale, inutile et laid comme une chose usée,
Il faisait des enfants la joie et la risée.

XVII. — LA BEAUTÉ

Je suis belle, ô mortels ! comme un rêve de pierre,
Et mon sein, où chacun s'est meurtri tour à tour,

Est fait pour inspirer au poète un amour
4 Eternel et muet ainsi que la matière.

Je trône dans l'azur comme un sphinx incompris;
J'unis un cœur de neige à la blancheur des cygnes;
Je hais le mouvement qui déplace les lignes,
8 Et jamais je ne pleure et jamais je ne ris.

Les poètes, devant mes grandes attitudes,
Que j'ai l'air d'emprunter aux plus fiers monuments,
11 Consumeront leurs jours en d'austères études;

Car j'ai, pour fasciner ces dociles amants,
De purs miroirs qui font toutes choses plus belles :
14 Mes yeux, mes larges yeux aux clartés éternelles!

XVIII. — L'IDÉAL

Ce ne seront jamais ces beautés de vignettes,
Produits avariés, nés d'un siècle vaurien,
Ces pieds à brodequins, ces doigts à castagnettes,
4 Qui sauront satisfaire un cœur comme le mien.

Je laisse à Gavarni, poète des chloroses,
Son troupeau gazouillant de beautés d'hôpital,
Car je ne puis trouver parmi ces pâles roses
8 Une fleur qui ressemble à mon rouge idéal.

Ce qu'il faut à ce cœur profond comme un abîme,
C'est vous, Lady Macbeth, âme puissante au crime,
11 Rêve d'Eschyle éclos au climat des autans,

Ou bien toi, grande Nuit, fille de Michel-Ange,
Qui tors paisiblement dans une pose étrange
14 Tes appas façonnés aux bouches des Titans.

XIX. — LA GÉANTE

Du temps que la Nature en sa verve puissante
Concevait chaque jour des enfants monstrueux,
J'eusse aimé vivre auprès d'une jeune géante,
4 Comme aux pieds d'une reine un chat voluptueux.

J'eusse aimé voir son corps fleurir avec son âme
Et grandir librement dans ses terribles jeux;
Deviner si son cœur couve une sombre flamme
8 Aux humides brouillards qui nagent dans ses yeux;

Parcourir à loisir ses magnifiques formes;
Ramper sur le versant de ses genoux énormes,
11 Et parfois en été, quand les soleils malsains,

Lasse, la font s'étendre à travers la campagne,
Dormir nonchalamment à l'ombre de ses seins,
14 Comme un hameau paisible au pied d'une montagne.

XX. — LE MASQUE

STATUE ALLÉGORIQUE DANS LE GOÛT DE LA RENAISSANCE

A ERNEST CHRISTOPHE, STATUAIRE

Contemplons ce trésor de grâces florentines;
Dans l'ondulation de ce corps musculeux
L'Elégance et la Force abondent, sœurs divines.
Cette femme, morceau vraiment miraculeux,

5 Divinement robuste, adorablement mince,
Est faite pour trôner sur des lits somptueux,

Et charmer les loisirs d'un pontife ou d'un prince.
— Aussi, vois ce souris fin et voluptueux
Où la Fatuité promène son extase;
10 Ce long regard sournois, langoureux et moqueur;
Ce visage mignard, tout encadré de gaze,
Dont chaque trait nous dit avec un air vainqueur :
« La Volupté m'appelle et l'Amour me couronne ! »
A cet être doué de tant de majesté
15 Vois quel charme excitant la gentillesse donne;
Approchons, et tournons autour de sa beauté.

O blasphème de l'art ! ô surprise fatale !
La femme au corps divin, promettant le bonheur,
Par le haut se termine en monstre bicéphale !

20 Mais non ! ce n'est qu'un masque, un décor subor- [neur,
Ce visage éclairé d'une exquise grimace,
Et, regarde, voici, crispée atrocement,
La véritable tête, et la sincère face
Renversée à l'abri de la face qui ment.
25 Pauvre grande beauté ! le magnifique fleuve
De tes pleurs aboutit dans mon cœur soucieux;
Ton mensonge m'enivre, et mon âme s'abreuve
Aux flots que la Douleur fait jaillir de tes yeux !

— Mais pourquoi pleure-t-elle ? Elle, beauté parfaite
30 Qui mettrait à ses pieds le genre humain vaincu,
Quel mal mystérieux ronge son flanc d'athlète ?

— Elle pleure, insensé, parce qu'elle a vécu !
Et parce qu'elle vit ! Mais ce qu'elle déplore
Surtout, ce qui la fait frémir jusqu'aux genoux,
35 C'est que demain, hélas ! il faudra vivre encore !
Demain, après-demain et toujours ! — comme nous !

XXI. — HYMNE A LA BEAUTÉ

Viens-tu du ciel profond ou sors-tu de l'abîme,
O Beauté ! ton regard, infernal et divin,
Verse confusément le bienfait et le crime,
4 Et l'on peut pour cela te comparer au vin.

Tu contiens dans ton œil le couchant et l'aurore;
Tu répands des parfums comme un soir orageux;
Tes baisers sont un philtre et ta bouche une amphore
8 Qui font le héros lâche et l'enfant courageux.

Sors-tu du gouffre noir ou descends-tu des astres?
Le Destin charmé suit tes jupons comme un chien;
Tu sèmes au hasard la joie et les désastres,
12 Et tu gouvernes tout et ne réponds de rien.

Tu marches sur des morts, Beauté, dont tu te moques;
De tes bijoux l'Horreur n'est pas le moins charmant,
Et le Meurtre, parmi tes plus chères breloques,
16 Sur ton ventre orgueilleux danse amoureusement.

L'éphémère ébloui vole vers toi, chandelle,
Crépite, flambe et dit : Bénissons ce flambeau !
L'amoureux pantelant incliné sur sa belle
20 A l'air d'un moribond caressant son tombeau.

Que tu viennes du ciel ou de l'enfer, qu'importe,
O Beauté ! monstre énorme, effrayant, ingénu !
Si ton œil, ton souris, ton pied, m'ouvrent la porte
24 D'un Infini que j'aime et n'ai jamais connu?

De Satan ou de Dieu, qu'importe? Ange ou Sirène,
Qu'importe, si tu rends, — fée aux yeux de velours,
Rythme, parfum, lueur, ô mon unique reine ! —
28 L'univers moins hideux et les instants moins lourds?

XXII. — PARFUM EXOTIQUE

Quand, les deux yeux fermés, en un soir chaud d'au-
Je respire l'odeur de ton sein chaleureux, [tomne,
Je vois se dérouler des rivages heureux
4 Qu'éblouissent les feux d'un soleil monotone;

Une île paresseuse où la nature donne
Des arbres singuliers et des fruits savoureux;
Des hommes dont le corps est mince et vigoureux,
8 Et des femmes dont l'œil par sa franchise étonne.

Guidé par ton odeur vers de charmants climats,
Je vois un port rempli de voiles et de mâts
11 Encor tout fatigués par la vague marine,

Pendant que le parfum des verts tamariniers,
Qui circule dans l'air et m'enfle la narine,
14 Se mêle dans mon âme au chant des mariniers.

XXIII. — LA CHEVELURE

O toison, moutonnant jusque sur l'encolure !
O boucles ! O parfum chargé de nonchaloir !
Extase ! Pour peupler ce soir l'alcôve obscure
Des souvenirs dormant dans cette chevelure,
5 Je la veux agiter dans l'air comme un mouchoir !

La langoureuse Asie et la brûlante Afrique,
Tout un monde lointain, absent, presque défunt,
Vit dans tes profondeurs, forêt aromatique !
Comme d'autres esprits voguent sur la musique,
10 Le mien, ô mon amour ! nage sur ton parfum.

J'irai là-bas où l'arbre et l'homme, pleins de sève,
Se pâment longuement sous l'ardeur des climats;
Fortes tresses, soyez la houle qui m'enlève !
Tu contiens, mer d'ébène, un éblouissant rêve
15 De voiles, de rameurs, de flammes et de mâts :

Un port retentissant où mon âme peut boire
A grands flots le parfum, le son et la couleur;
Où les vaisseaux, glissant dans l'or et dans la moire,
Ouvrent leurs vastes bras pour embrasser la gloire
20 D'un ciel pur où frémit l'éternelle chaleur.

Je plongerai ma tête amoureuse d'ivresse
Dans ce noir océan où l'autre est enfermé;
Et mon esprit subtil que le roulis caresse
Saura vous retrouver, ô féconde paresse,
25 Infinis bercements du loisir embaumé !

Cheveux bleus, pavillon de ténèbres tendues,
Vous me rendez l'azur du ciel immense et rond;
Sur les bords duvetés de vos mèches tordues
Je m'enivre ardemment des senteurs confondues
30 De l'huile de coco, du musc et du goudron.

Longtemps ! toujours ! ma main dans ta crinière lourde
Sèmera le rubis, la perle et le saphir,
Afin qu'à mon désir tu ne sois jamais sourde !
N'es-tu pas l'oasis où je rêve, et la gourde
35 Où je hume à longs traits le vin du souvenir ?

XXIV

Je t'adore à l'égal de la voûte nocturne,
O vase de tristesse, ô grande taciturne,
Et t'aime d'autant plus, belle, que tu me fuis,
Et que tu me parais, ornement de mes nuits,
5 Plus ironiquement accumuler les lieues
Qui séparent mes bras des immensités bleues.

Je m'avance à l'attaque, et je grimpe aux assauts,
Comme après un cadavre un chœur de vermisseaux,
Et je chéris, ô bête implacable et cruelle !
10 Jusqu'à cette froideur par où tu m'es plus belle !

XXV

Tu mettrais l'univers entier dans ta ruelle,
Femme impure ! L'ennui rend ton âme cruelle.
Pour exercer tes dents à ce jeu singulier,
Il te faut chaque jour un cœur au râtelier.
5 Tes yeux, illuminés ainsi que des boutiques
Et des ifs flamboyants dans les fêtes publiques,
Usent insolemment d'un pouvoir emprunté,
Sans connaître jamais la loi de leur beauté.

Machine aveugle et sourde, en cruautés féconde !
10 Salutaire instrument, buveur du sang du monde,
Comment n'as-tu pas honte et comment n'as-tu pas
Devant tous les miroirs vu pâlir tes appas ?
La grandeur de ce mal où tu te crois savante
Ne t'a donc jamais fait reculer d'épouvante,
15 Quand la nature, grande en ses desseins cachés,
De toi se sert, ô femme, ô reine des péchés,
— De toi, vil animal, — pour pétrir un génie ?

O fangeuse grandeur ! sublime ignominie !

XXVI. — SED NON SATIATA

Bizarre déité, brune comme les nuits,
Au parfum mélangé de musc et de havane,
Œuvre de quelque obi, le Faust de la savane,
4 Sorcière au flanc d'ébène, enfant des noirs minuits,

Je préfère au constance, à l'opium, au nuits,
L'élixir de ta bouche où l'amour se pavane;
Quand vers toi mes désirs partent en caravane,
8 Tes yeux sont la citerne où boivent mes ennuis.

Par ces deux grands yeux noirs, soupiraux de ton âme,
O démon sans pitié ! verse-moi moins de flamme;
11 Je ne suis pas le Styx pour t'embrasser neuf fois,

Hélas ! et je ne puis, Mégère libertine,
Pour briser ton courage et te mettre aux abois,
14 Dans l'enfer de ton lit devenir Proserpine !

XXVII

Avec ses vêtements ondoyants et nacrés,
Même quand elle marche on croirait qu'elle danse,

Comme ces longs serpents que les jongleurs sacrés
4 Au bout de leurs bâtons agitent en cadence.

Comme le sable morne et l'azur des déserts,
Insensibles tous deux à l'humaine souffrance,
Comme les longs réseaux de la houle des mers,
8 Elle se développe avec indifférence.

Ses yeux polis sont faits de minéraux charmants,
Et dans cette nature étrange et symbolique
11 Où l'ange inviolé se mêle au sphinx antique,

Où tout n'est qu'or, acier, lumière et diamants,
Resplendit à jamais, comme un astre inutile,
14 La froide majesté de la femme stérile.

XXVIII. — LE SERPENT QUI DANSE

Que j'aime voir, chère indolente,
De ton corps si beau,
Comme une étoffe vacillante,
4 Miroiter la peau !

Sur ta chevelure profonde
Aux âcres parfums,
Mer odorante et vagabonde
8 Aux flots bleus et bruns,

Comme un navire qui s'éveille
Au vent du matin,
Mon âme rêveuse appareille
12 Pour un ciel lointain.

Tes yeux, où rien ne se révèle
De doux ni d'amer,
Sont deux bijoux froids où se mêle
16 L'or avec le fer.

A te voir marcher en cadence,
Belle d'abandon,

On dirait un serpent qui danse
20 Au bout d'un bâton.

Sous le fardeau de ta paresse
Ta tête d'enfant
Se balance avec la mollesse
24 D'un jeune éléphant,

Et ton corps se penche et s'allonge
Comme un fin vaisseau
Qui roule bord sur bord et plonge
28 Ses vergues dans l'eau.

Comme un flot grossi par la fonte
Des glaciers grondants,
Quand l'eau de ta bouche remonte
32 Au bord de tes dents,

Je crois boire un vin de Bohême,
Amer et vainqueur,
Un ciel liquide qui parsème
36 D'étoiles mon cœur !

XXIX. — UNE CHAROGNE

Rappelez-vous l'objet que nous vîmes, mon âme,
Ce beau matin d'été si doux :
Au détour d'un sentier une charogne infâme
4 Sur un lit semé de cailloux,

Les jambes en l'air, comme une femme lubrique,
Brûlante et suant les poisons,
Ouvrait d'une façon nonchalante et cynique
8 Son ventre plein d'exhalaisons.

Le soleil rayonnait sur cette pourriture,
Comme afin de la cuire à point,
Et de rendre au centuple à la grande Nature
12 Tout ce qu'ensemble elle avait joint;

Et le ciel regardait la carcasse superbe
Comme une fleur s'épanouir.
La puanteur était si forte, que sur l'herbe
16 Vous crûtes vous évanouir.

Les mouches bourdonnaient sur ce ventre putride,
D'où sortaient de noirs bataillons
De larves, qui coulaient comme un épais liquide
20 Le long de ces vivants haillons.

Tout cela descendait, montait comme une vague,
Ou s'élançait en pétillant;
On eût dit que le corps, enflé d'un souffle vague,
24 Vivait en se multipliant.

Et ce monde rendait une étrange musique,
Comme l'eau courante et le vent,
Ou le grain qu'un vanneur d'un mouvement rhyth-
28 Agite et tourne dans son van. [mique

Les formes s'effaçaient et n'étaient plus qu'un rêve,
Une ébauche lente à venir,
Sur la toile oubliée, et que l'artiste achève
32 Seulement par le souvenir.

Derrière les rochers une chienne inquiète
Nous regardait d'un œil fâché,
Epiant le moment de reprendre au squelette
36 Le morceau qu'elle avait lâché.

— Et pourtant vous serez semblable à cette ordure,
A cette horrible infection,
Etoile de mes yeux, soleil de ma nature,
40 Vous, mon ange et ma passion !

Oui ! telle vous serez, ô la reine des grâces,
Après les derniers sacrements,
Quand vous irez, sous l'herbe et les floraisons grasses,
44 Moisir parmi les ossements.

Alors, ô ma beauté ! dites à la vermine
Qui vous mangera de baisers,
Que j'ai gardé la forme et l'essence divine
48 De mes amours décomposés !

XXX. — DE PROFUNDIS CLAMAVI

J'implore ta pitié, Toi, l'unique que j'aime,
Du fond du gouffre obscur où mon cœur est tombé.
C'est un univers morne à l'horizon plombé,
4 Où nagent dans la nuit l'horreur et le blasphème;

Un soleil sans chaleur plane au-dessus six mois,
Et les six autres mois la nuit couvre la terre;
C'est un pays plus nu que la terre polaire;
8 — Ni bêtes, ni ruisseaux, ni verdure, ni bois !

Or il n'est pas d'horreur au monde qui surpasse
La froide cruauté de ce soleil de glace
11 Et cette immense nuit semblable au vieux Chaos;

Je jalouse le sort des plus vils animaux
Qui peuvent se plonger dans un sommeil stupide.
14 Tant l'écheveau du temps lentement se dévide !

XXXI. — LE VAMPIRE

Toi qui, comme un coup de couteau,
Dans mon cœur plaintif es entrée;
Toi qui, forte comme un troupeau
4 De démons, vins, folle et parée,

De mon esprit humilié
Faire ton lit et ton domaine;
— Infâme à qui je suis lié
8 Comme le forçat à la chaîne,

Comme au jeu le joueur têtu,
Comme à la bouteille l'ivrogne,

Comme aux vermines la charogne,
12 — Maudite, maudite sois-tu !

J'ai prié le glaive rapide
De conquérir ma liberté,
Et j'ai dit au poison perfide
16 De secourir ma lâcheté.

Hélas ! le poison et le glaive
M'ont pris en dédain et m'ont dit :
« Tu n'es pas digne qu'on t'enlève
20 A ton esclavage maudit,

Imbécile ! — de son empire
Si nos efforts te délivraient,
Tes baisers ressusciteraient
24 Le cadavre de ton vampire ! »

XXXII

Une nuit que j'étais près d'une affreuse Juive,
Comme au long d'un cadavre un cadavre étendu,
Je me pris à songer près de ce corps vendu
4 A la triste beauté dont mon désir se prive.

Je me représentai sa majesté native,
Son regard de vigueur et de grâces armé,
Ses cheveux qui lui font un casque parfumé,
8 Et dont le souvenir pour l'amour me ravive.

Car j'eusse avec ferveur baisé ton noble corps,
Et depuis tes pieds frais jusqu'à tes noires tresses
11 Déroulé le trésor des profondes caresses,

Si, quelque soir, d'un pleur obtenu sans effort
Tu pouvais seulement, ô reine des cruelles !
14 Obscurcir la splendeur de tes froides prunelles.

XXXIII. — REMORDS POSTHUME

Lorsque tu dormiras, ma belle ténébreuse,
Au fond d'un monument construit en marbre noir,
Et lorsque tu n'auras pour alcôve et manoir
4 Qu'un caveau pluvieux et qu'une fosse creuse;

Quand la pierre, opprimant ta poitrine peureuse
Et tes flancs qu'assouplit un charmant nonchaloir,
Empêchera ton cœur de battre et de vouloir,
8 Et tes pieds de courir leur course aventureuse,

Le tombeau, confident de mon rêve infini
(Car le tombeau toujours comprendra le poète),
11 Durant ces grandes nuits d'où le somme est banni,

Te dira : « Que vous sert, courtisane imparfaite,
De n'avoir pas connu ce que pleurent les morts ? »
14 — Et le ver rongera ta peau comme un remords.

XXXIV. — LE CHAT

Viens, mon beau chat, sur mon cœur amoureux;
Retiens les griffes de ta patte,
Et laisse-moi plonger dans tes beaux yeux,
4 Mêlés de métal et d'agate.

Lorsque mes doigts caressent à loisir
Ta tête et ton dos élastique,
Et que ma main s'enivre du plaisir
8 De palper ton corps électrique,

Je vois ma femme en esprit. Son regard,
Comme le tien, aimable bête,
11 Profond et froid, coupe et fend comme un dard,

Et, des pieds jusques à la tête,
Un air subtil, un dangereux parfum
14 Nagent autour de son corps brun.

XXXV. — DUELLUM

Deux guerriers ont couru l'un sur l'autre; leurs armes
Ont éclaboussé l'air de lueurs et de sang.
Ces jeux, ces cliquetis du fer sont les vacarmes
4 D'une jeunesse en proie à l'amour vagissant.

Les glaives sont brisés ! comme notre jeunesse,
Ma chère ! Mais les dents, les ongles acérés,
Vengent bientôt l'épée et la dague traîtresse.
8 — O fureur des cœurs mûrs par l'amour ulcérés !

Dans le ravin hanté des chats-pards et des onces
Nos héros, s'étreignant méchamment, ont roulé,
11 Et leur peau fleurira l'aridité des ronces.

— Ce gouffre, c'est l'enfer, de nos amis peuplé !
Roulons-y sans remords, amazone inhumaine,
14 Afin d'éterniser l'ardeur de notre haine !

XXXVI. — LE BALCON

Mère des souvenirs, maîtresse des maîtresses,
O toi, tous mes plaisirs ! ô toi, tous mes devoirs !
Tu te rappelleras la beauté des caresses,
La douceur du foyer et le charme des soirs,
5 Mère des souvenirs, maîtresse des maîtresses !

Les soirs illuminés par l'ardeur du charbon,
Et les soirs au balcon, voilés de vapeurs roses.

Que ton sein m'était doux ! que ton cœur m'était bon !
Nous avons dit souvent d'impérissables choses
10 Les soirs illuminés par l'ardeur du charbon.

Que les soleils sont beaux dans les chaudes soirées !
Que l'espace est profond ! que le cœur est puissant !
En me penchant vers toi, reine des adorées,
Je croyais respirer le parfum de ton sang.
15 Que les soleils sont beaux dans les chaudes soirées !

La nuit s'épaississait ainsi qu'une cloison,
Et mes yeux dans le noir devinaient tes prunelles,
Et je buvais ton souffle, ô douceur ! ô poison !
Et tes pieds s'endormaient dans mes mains fraternelles.
20 La nuit s'épaississait ainsi qu'une cloison.

Je sais l'art d'évoquer les minutes heureuses,
Et revis mon passé blotti dans tes genoux.
Car à quoi bon chercher tes beautés langoureuses
Ailleurs qu'en ton cher corps et qu'en ton cœur si [doux ?
25 Je sais l'art d'évoquer les minutes heureuses !

Ces serments, ces parfums, ces baisers infinis,
Renaîtront-ils d'un gouffre interdit à nos sondes,
Comme montent au ciel les soleils rajeunis
Après s'être lavés au fond des mers profondes ?
30 — O serments ! ô parfums ! ô baisers infinis !

XXXVII. — LE POSSÉDÉ

Le soleil s'est couvert d'un crêpe. Comme lui,
O Lune de ma vie ! emmitoufle-toi d'ombre ;
Dors ou fume à ton gré ; sois muette, sois sombre,
4 Et plonge tout entière au gouffre de l'Ennui ;

Je t'aime ainsi ! Pourtant, si tu veux aujourd'hui,
Comme un astre éclipsé qui sort de la pénombre,
Te pavaner aux lieux que la Folie encombre,
8 C'est bien ! Charmant poignard, jaillis de ton étui !

Allume ta prunelle à la flamme des lustres !
Allume le désir dans les regards des rustres !
11 Tout de toi m'est plaisir, morbide ou pétulant;

Sois ce que tu voudras, nuit noire, rouge aurore;
Il n'est pas une fibre en tout mon corps tremblant
14 Qui ne crie : *O mon cher Belzébuth, je t'adore !*

XXXVIII. — UN FANTOME

I

LES TÉNÈBRES

Dans les caveaux d'insondable tristesse
Où le Destin m'a déjà relégué;
Où jamais n'entre un rayon rose et gai;
4 Où, seul avec la Nuit, maussade hôtesse,

Je suis comme un peintre qu'un Dieu moqueur
Condamne à peindre, hélas ! sur les ténèbres;
Où, cuisinier aux appétits funèbres,
8 Je fais bouillir et je mange mon cœur,

Par instants brille, et s'allonge, et s'étale
Un spectre fait de grâce et de splendeur.
11 A sa rêveuse allure orientale,

Quand il atteint sa totale grandeur,
Je reconnais ma belle visiteuse :
14 C'est Elle ! noire et pourtant lumineuse.

II

LE PARFUM

Lecteur, as-tu quelquefois respiré
Avec ivresse et lente gourmandise
Ce grain d'encens qui remplit une église,
18 Ou d'un sachet le musc invétéré?

Charme profond, magique, dont nous grise
Dans le présent le passé restauré !
Ainsi l'amant sur un corps adoré
22 Du souvenir cueille la fleur exquise.

De ses cheveux élastiques et lourds,
Vivant sachet, encensoir de l'alcôve,
25 Une senteur montait, sauvage et fauve,

Et des habits, mousseline ou velours,
Tout imprégnés de sa jeunesse pure,
28 Se dégageait un parfum de fourrure.

III

LE CADRE

Comme un beau cadre ajoute à la peinture,
Bien qu'elle soit d'un pinceau très vanté,
Je ne sais quoi d'étrange et d'enchanté
32 En l'isolant de l'immense nature,

Ainsi bijoux, meubles, métaux, dorure,
S'adaptaient juste à sa rare beauté;
Rien n'offusquait sa parfaite clarté,
36 Et tout semblait lui servir de bordure.

Même on eût dit parfois qu'elle croyait
Que tout voulait l'aimer; elle noyait
39 Sa nudité voluptueusement

Dans les baisers du satin et du linge,
Et lente ou brusque, à chaque mouvement
42 Montrait la grâce enfantine du singe.

IV

LE PORTRAIT

La Maladie et la Mort font des cendres
De tout le feu qui pour nous flamboya.
De ces grands yeux si fervents et si tendres,
46 De cette bouche où mon cœur se noya,

De ces baisers puissants comme un dictame,
De ces transports plus vifs que des rayons,
Que reste-t-il ? C'est affreux, ô mon âme !
50 Rien qu'un dessin fort pâle, aux trois crayons,

Qui, comme moi, meurt dans la solitude,
Et que le Temps, injurieux vieillard,
53 Chaque jour frotte avec son aile rude...

Noir assassin de la Vie et de l'Art,
Tu ne tueras jamais dans ma mémoire
56 Celle qui fut mon plaisir et ma gloire !

XXXIX

Je te donne ces vers afin que si mon nom
Aborde heureusement aux époques lointaines,
Et fait rêver un soir les cervelles humaines,
4 Vaisseau favorisé par un grand aquilon,

Ta mémoire, pareille aux fables incertaines,
Fatigue le lecteur ainsi qu'un tympanon,
Et par un fraternel et mystique chaînon
8 Reste comme pendue à mes rimes hautaines ;

Etre maudit à qui, de l'abîme profond
Jusqu'au plus haut du ciel, rien, hors moi, ne répond !
11 — O toi qui, comme une ombre à la trace éphémère,

Foules d'un pied léger et d'un regard serein
Les stupides mortels qui t'ont jugée amère,
14 Statue aux yeux de jais, grand ange au front d'airain !

XL. — SEMPER EADEM

« D'où vous vient, disiez-vous, cette tristesse étrange,
Montant comme la mer sur le roc noir et nu ? »

— Quand notre cœur a fait une fois sa vendange,
4 Vivre est un mal. C'est un secret de tous connu,

Une douleur très simple et non mystérieuse,
Et, comme votre joie, éclatante pour tous.
Cessez donc de chercher, ô belle curieuse !
8 Et, bien que votre voix soit douce, taisez-vous !

Taisez-vous, ignorante ! âme toujours ravie !
Bouche au rire enfantin ! Plus encor que la Vie,
11 La Mort nous tient souvent par des liens subtils.

Laissez, laissez mon cœur s'enivrer d'un *mensonge*,
Plonger dans vos beaux yeux comme dans un beau
14 Et sommeiller longtemps à l'ombre de vos cils ! [songe,

XLI. — TOUT ENTIÈRE

Le Démon, dans ma chambre haute,
Ce matin est venu me voir,
Et, tâchant à me prendre en faute,
4 Me dit : « Je voudrais bien savoir,

Parmi toutes les belles choses
Dont est fait son enchantement,
Parmi les objets noirs ou roses
8 Qui composent son corps charmant,

Quel est le plus doux. » — O mon âme !
Tu répondis à l'Abhorré :
« Puisqu'en Elle tout est dictame,
12 Rien ne peut être préféré.

Lorsque tout me ravit, j'ignore
Si quelque chose me séduit.
Elle éblouit comme l'Aurore
16 Et console comme la Nuit;

Et l'harmonie est trop exquise,
Qui gouverne tout son beau corps,

Pour que l'impuissante analyse
20 En note les nombreux accords.

O métamorphose mystique
De tous mes sens fondus en un !
Son haleine fait la musique,
24 Comme sa voix fait le parfum ! »

XLII

Que diras-tu ce soir, pauvre âme solitaire,
Que diras-tu, mon cœur, cœur autrefois flétri,
A la très belle, à la très bonne, à la très chère,
4 Dont le regard divin t'a soudain refleuri ?

— Nous mettrons notre orgueil à chanter ses louanges :
Rien ne vaut la douceur de son autorité ;
Sa chair spirituelle a le parfum des Anges,
8 Et son œil nous revêt d'un habit de clarté.

Que ce soit dans la nuit et dans la solitude,
Que ce soit dans la rue et dans la multitude,
11 Son fantôme dans l'air danse comme un flambeau.

Parfois il parle et dit : « Je suis belle, et j'ordonne
Que pour l'amour de moi vous n'aimiez que le Beau ;
14 Je suis l'Ange gardien, la Muse et la Madone. »

XLIII. — LE FLAMBEAU VIVANT

Ils marchent devant moi, ces Yeux pleins de lumières,
Qu'un Ange très savant a sans doute aimantés ;
Ils marchent, ces divins frères qui sont mes frères,
4 Secouant dans mes yeux leurs feux diamantés.

Me sauvant de tout piège et de tout péché grave,
Ils conduisent mes pas dans la route du Beau;
Ils sont mes serviteurs et je suis leur esclave;
8 Tout mon être obéit à ce vivant flambeau.

Charmants Yeux, vous brillez de la clarté mystique
Qu'ont les cierges brûlant en plein jour; le soleil
11 Rougit, mais n'éteint pas leur flamme fantastique;

Ils célèbrent la Mort, vous chantez le Réveil;
Vous marchez en chantant le réveil de mon âme,
14 Astres dont nul soleil ne peut flétrir la flamme!

XLIV. — RÉVERSIBILITÉ

Ange plein de gaieté, connaissez-vous l'angoisse,
La honte, les remords, les sanglots, les ennuis,
Et les vagues terreurs de ces affreuses nuits
Qui compriment le cœur comme un papier qu'on [froisse?
5 Ange plein de gaieté, connaissez-vous l'angoisse?

Ange plein de bonté, connaissez-vous la haine,
Les poings crispés dans l'ombre et les larmes de fiel,
Quand la Vengeance bat son infernal rappel,
Et de nos facultés se fait le capitaine?
10 Ange plein de bonté, connaissez-vous la haine?

Ange plein de santé, connaissez-vous les Fièvres,
Qui, le long des grands murs de l'hospice blafard,
Comme des exilés, s'en vont d'un pied traînard,
Cherchant le soleil rare et remuant les lèvres?
15 Ange plein de santé, connaissez-vous les Fièvres?

Ange plein de beauté, connaissez-vous les rides,
Et la peur de vieillir, et ce hideux tourment
De lire la secrète horreur du dévouement
Dans des yeux où longtemps burent nos yeux avides?
20 Ange plein de beauté, connaissez-vous les rides?

Ange plein de bonheur, de joie et de lumières,
David mourant aurait demandé la santé

Aux émanations de ton corps enchanté;
Mais de toi je n'implore, ange, que tes prières,
25 Ange plein de bonheur, de joie et de lumières !

XLV. — CONFESSION

Une fois, une seule, aimable et douce femme,
A mon bras votre bras poli
S'appuya (sur le fond ténébreux de mon âme
4 Ce souvenir n'est point pâli);

Il était tard; ainsi qu'une médaille neuve
La pleine lune s'étalait,
Et la solennité de la nuit, comme un fleuve,
8 Sur Paris dormant ruisselait.

Et le long des maisons, sous les portes cochères,
Des chats passaient furtivement,
L'oreille au guet, ou bien, comme des ombres chères,
12 Nous accompagnaient lentement.

Tout à coup, au milieu de l'intimité libre
Eclose à la pâle clarté,
De vous, riche et sonore instrument où ne vibre
16 Que la radieuse gaieté,

De vous, claire et joyeuse ainsi qu'une fanfare
Dans le matin étincelant,
Une note plaintive, une note bizarre
20 S'échappa, tout en chancelant

Comme une enfant chétive, horrible, sombre, [immonde,
Dont sa famille rougirait,
Et qu'elle aurait longtemps, pour la cacher au monde,
24 Dans un caveau mise au secret.

Pauvre ange, elle chantait, votre note criarde :
« Que rien ici-bas n'est certain,
Et que toujours, avec quelque soin qu'il se farde,
28 Se trahit l'égoïsme humain;

Que c'est un dur métier que d'être belle femme,
Et que c'est le travail banal
De la danseuse folle et froide qui se pâme
32 Dans un sourire machinal;

Que bâtir sur les cœurs est une chose sotte;
Que tout craque, amour et beauté,
Jusqu'à ce que l'Oubli les jette dans sa hotte
36 Pour les rendre à l'Eternité ! »

J'ai souvent évoqué cette lune enchantée,
Ce silence et cette langueur,
Et cette confidence horrible chuchotée
40 Au confessionnal du cœur.

XLVI. — L'AUBE SPIRITUELLE

Quand chez les débauchés l'aube blanche et vermeille
Entre en société de l'Idéal rongeur,
Par l'opération d'un mystère vengeur
4 Dans la brute assoupie un ange se réveille.

Des Cieux Spirituels l'inaccessible azur,
Pour l'homme terrassé qui rêve encore et souffre,
S'ouvre et s'enfonce avec l'attirance du gouffre.
8 Ainsi, chère Déesse, Etre lucide et pur,

Sur les débris fumeux des stupides orgies
Ton souvenir plus clair, plus rose, plus charmant,
11 A mes yeux agrandis voltige incessamment.

Le soleil a noirci la flamme des bougies;
Ainsi, toujours vainqueur, ton fantôme est pareil,
14 Ame resplendissante, à l'immortel soleil!

XLVII. — HARMONIE DU SOIR

Voici venir les temps où vibrant sur sa tige
Chaque fleur s'évapore ainsi qu'un encensoir;
Les sons et les parfums tournent dans l'air du soir;
4 Valse mélancolique et langoureux vertige !

Chaque fleur s'évapore ainsi qu'un encensoir;
Le violon frémit comme un cœur qu'on afflige;
Valse mélancolique et langoureux vertige !
8 Le ciel est triste et beau comme un grand reposoir.

Le violon frémit comme un cœur qu'on afflige,
Un cœur tendre, qui hait le néant vaste et noir !
Le ciel est triste et beau comme un grand reposoir;
12 Le soleil s'est noyé dans son sang qui se fige.

Un cœur tendre, qui hait le néant vaste et noir,
Du passé lumineux recueille tout vestige !
Le soleil s'est noyé dans son sang qui se fige...
16 Ton souvenir en moi luit comme un ostensoir !

XLVIII. — LE FLACON

Il est de forts parfums pour qui toute matière
Est poreuse. On dirait qu'ils pénètrent le verre.
En ouvrant un coffret venu de l'Orient
4 Dont la serrure grince et rechigne en criant,

Ou dans une maison déserte quelque armoire
Pleine de l'âcre odeur des temps, poudreuse et noire,
Parfois on trouve un vieux flacon qui se souvient,
8 D'où jaillit toute vive une âme qui revient.

Mille pensers dormaient, chrysalides funèbres,
Frémissant doucement dans les lourdes ténèbres,
Qui dégagent leur aile et prennent leur essor,
12 Teintés d'azur, glacés de rose, lamés d'or.

Voilà le souvenir enivrant qui voltige
Dans l'air troublé; les yeux se ferment; le Vertige
Saisit l'âme vaincue et la pousse à deux mains
16 Vers un gouffre obscurci de miasmes humains;

Il la terrasse au bord d'un gouffre séculaire,
Où, Lazare odorant déchirant son suaire,
Se meut dans son réveil le cadavre spectral
20 D'un vieil amour ranci, charmant et sépulcral.

Ainsi, quand je serai perdu dans la mémoire
Des hommes, dans le coin d'une sinistre armoire
Quand on m'aura jeté, vieux flacon désolé,
24 Décrépit, poudreux, sale, abject, visqueux, fêlé,

Je serai ton cercueil, aimable pestilence !
Le témoin de ta force et de ta virulence,
Cher poison préparé par les anges ! Liqueur
28 Qui me ronge, ô la vie et la mort de mon cœur !

XLIX. — LE POISON

Le vin sait revêtir le plus sordide bouge
D'un luxe miraculeux,
Et fait surgir plus d'un portique fabuleux
Dans l'or de sa vapeur rouge,
5 Comme un soleil couchant dans un ciel nébuleux.

L'opium agrandit ce qui n'a pas de bornes,
Allonge l'illimité,
Approfondit le temps, creuse la volupté,
Et de plaisirs noirs et mornes
10 Remplit l'âme au delà de sa capacité.

Tout cela ne vaut pas le poison qui découle
De tes yeux, de tes yeux verts,
Lacs où mon âme tremble et se voit à l'envers...
Mes songes viennent en foule
15 Pour se désaltérer à ces gouffres amers.

Tout cela ne vaut pas le terrible prodige
De ta salive qui mord,
Qui plonge dans l'oubli mon âme sans remord,
Et, charriant le vertige,
20 La roule défaillante aux rives de la mort !

L. — CIEL BROUILLÉ

On dirait ton regard d'une vapeur couvert;
Ton œil mystérieux (est-il bleu, gris ou vert?)
Alternativement tendre, rêveur, cruel,
4 Réfléchit l'indolence et la pâleur du ciel.

Tu rappelles ces jours blancs, tièdes et voilés,
Qui font se fondre en pleurs les cœurs ensorcelés,
Quand, agités d'un mal inconnu qui les tord,
8 Les nerfs trop éveillés raillent l'esprit qui dort.

Tu ressembles parfois à ces beaux horizons
Qu'allument les soleils des brumeuses saisons...
Comme tu resplendis, paysage mouillé
12 Qu'enflamment les rayons tombant d'un ciel brouillé !

O femme dangereuse, ô séduisants climats !
Adorerai-je aussi ta neige et vos frimas,
Et saurai-je tirer de l'implacable hiver
16 Des plaisirs plus aigus que la glace et le fer ?

LI. — LE CHAT

I

Dans ma cervelle se promène,
Ainsi qu'en son appartement,
Un beau chat, fort, doux et charmant.
4 Quand il miaule, on l'entend à peine,

Tant son timbre est tendre et discret;
Mais que sa voix s'apaise ou gronde,
Elle est toujours riche et profonde.
8 C'est là son charme et son secret.

Cette voix, qui perle et qui filtre
Dans mon fonds le plus ténébreux,
Me remplit comme un vers nombreux
12 Et me réjouit comme un philtre.

Elle endort les plus cruels maux
Et contient toutes les extases;
Pour dire les plus longues phrases,
16 Elle n'a pas besoin de mots.

Non, il n'est pas d'archet qui morde
Sur mon cœur, parfait instrument,
Et fasse plus royalement
20 Chanter sa plus vibrante corde,

Que ta voix, chat mystérieux,
Chat séraphique, chat étrange,
En qui tout est, comme en un ange,
24 Aussi subtil qu'harmonieux!

II

De sa fourrure blonde et brune
Sort un parfum si doux, qu'un soir

J'en fus embaumé, pour l'avoir
28 Caressée une fois, rien qu'une.

C'est l'esprit familier du lieu;
Il juge, il préside, il inspire
Toutes choses dans son empire;
32 Peut-être est-il fée, est-il dieu?

Quand mes yeux, vers ce chat que j'aime
Tirés comme par un aimant,
Se retournent docilement
36 Et que je regarde en moi-même,

Je vois avec étonnement
Le feu de ses prunelles pâles,
Clairs fanaux, vivantes opales,
40 Qui me contemplent fixement.

LII. — LE BEAU NAVIRE

Je veux te raconter, ô molle enchanteresse!
Les diverses beautés qui parent ta jeunesse;
Je veux te peindre ta beauté,
4 Où l'enfance s'allie à la maturité.

Quand tu vas balayant l'air de ta jupe large,
Tu fais l'effet d'un beau vaisseau qui prend le large,
Chargé de toile, et va roulant
8 Suivant un rythme doux, et paresseux, et lent.

Sur ton cou large et rond, sur tes épaules grasses,
Ta tête se pavane avec d'étranges grâces;
D'un air placide et triomphant
12 Tu passes ton chemin, majestueuse enfant.

Je veux te raconter, ô molle enchanteresse!
Les diverses beautés qui parent ta jeunesse;
Je veux te peindre ta beauté,
16 Où l'enfance s'allie à la maturité.

Ta gorge qui s'avance et qui pousse la moire,
Ta gorge triomphante est une belle armoire
Dont les panneaux bombés et clairs
20 Comme les boucliers accrochent des éclairs,

Boucliers provocants, armés de pointes roses !
Armoire à doux secrets, pleine de bonnes choses,
De vins, de parfums, de liqueurs
24 Qui feraient délirer les cerveaux et les cœurs !

Quand tu vas balayant l'air de ta jupe large,
Tu fais l'effet d'un beau vaisseau qui prend le large,
Chargé de toile, et va roulant
28 Suivant un rythme doux, et paresseux, et lent.

Tes nobles jambes, sous les volants qu'elles chassent,
Tourmentent les désirs obscurs et les agacent,
Comme deux sorcières qui font
32 Tourner un philtre noir dans un vase profond.

Tes bras, qui se joueraient des précoces hercules,
Sont des boas luisants les solides émules,
Faits pour serrer obstinément,
36 Comme pour l'imprimer dans ton cœur, ton amant.

Sur ton cou large et rond, sur tes épaules grasses,
Ta tête se pavane avec d'étranges grâces;
D'un air placide et triomphant
40 Tu passes ton chemin, majestueuse enfant.

LIII. — L'INVITATION AU VOYAGE

Mon enfant, ma sœur,
Songe à la douceur
D'aller là-bas vivre ensemble !
Aimer à loisir,
Aimer et mourir
6 Au pays qui te ressemble !
Les soleils mouillés
De ces ciels brouillés

Pour mon esprit ont les charmes
Si mystérieux
De tes traîtres yeux,
12 Brillant à travers leurs larmes.

Là, tout n'est qu'ordre et beauté,
Luxe, calme et volupté.

15 Des meubles luisants,
Polis par les ans,
Décoreraient notre chambre;
Les plus rares fleurs
Mêlant leurs odeurs
20 Aux vagues senteurs de l'ambre,
Les riches plafonds,
Les miroirs profonds,
La splendeur orientale,
Tout y parlerait
A l'âme en secret
26 Sa douce langue natale.

Là, tout n'est qu'ordre et beauté,
Luxe, calme et volupté.

29 Vois sur ces canaux
Dormir ces vaisseaux
Dont l'humeur est vagabonde;
C'est pour assouvir
Ton moindre désir
34 Qu'ils viennent du bout du monde.
— Les soleils couchants
Revêtent les champs,
Les canaux, la ville entière,
D'hyacinthe et d'or;
Le monde s'endort
40 Dans une chaude lumière.

Là, tout n'est qu'ordre et beauté,
Luxe, calme et volupté.

LIV. — L'IRRÉPARABLE

Pouvons-nous étouffer le vieux, le long Remords,
Qui vit, s'agite et se tortille,
Et se nourrit de nous comme le ver des morts,
Comme du chêne la chenille ?
5 Pouvons-nous étouffer l'implacable Remords ?

Dans quel philtre, dans quel vin, dans quelle tisane,
Noierons-nous ce vieil ennemi,
Destructeur et gourmand comme la courtisane,
Patient comme la fourmi ?
10 Dans quel philtre ? — dans quel vin ? — dans quelle [tisane ?

Dis-le, belle sorcière, oh ! dis, si tu le sais,
A cet esprit comblé d'angoisse
Et pareil au mourant qu'écrasent les blessés,
Que le sabot du cheval froisse,
15 Dis-le, belle sorcière, oh ! dis, si tu le sais,

A cet agonisant que le loup déjà flaire
Et que surveille le corbeau,
A ce soldat brisé ! s'il faut qu'il désespère
D'avoir sa croix et son tombeau;
20 Ce pauvre agonisant que déjà le loup flaire !

Peut-on illuminer un ciel bourbeux et noir ?
Peut-on déchirer des ténèbres
Plus denses que la poix, sans matin et sans soir,
Sans astres, sans éclairs funèbres ?
25 Peut-on illuminer un ciel bourbeux et noir ?

L'Espérance qui brille aux carreaux de l'Auberge
Est soufflée, est morte à jamais !
Sans lune et sans rayons, trouver où l'on héberge
Les martyrs d'un chemin mauvais !
30 Le Diable a tout éteint aux carreaux de l'Auberge !

Adorable sorcière, aimes-tu les damnés ?
Dis, connais-tu l'irrémissible ?

Connais-tu le Remords, aux traits empoisonnés,
A qui notre cœur sert de cible ?
35 Adorable sorcière, aimes-tu les damnés ?

L'Irréparable ronge avec sa dent maudite
Notre âme, piteux monument,
Et souvent il attaque, ainsi que le termite,
Par la base le bâtiment.
40 L'Irréparable ronge avec sa dent maudite !

— J'ai vu parfois, au fond d'un théâtre banal
Qu'enflammait l'orchestre sonore,
Une fée allumer dans un ciel infernal
Une miraculeuse aurore ;
45 J'ai vu parfois au fond d'un théâtre banal

Un être, qui n'était que lumière, or et gaze,
Terrasser l'énorme Satan ;
Mais mon cœur, que jamais ne visite l'extase,
Est un théâtre où l'on attend
50 Toujours, toujours en vain, l'Etre aux ailes de gaze !

LV. — CAUSERIE

Vous êtes un beau ciel d'automne, clair et rose !
Mais la tristesse en moi monte comme la mer,
Et laisse, en refluant, sur ma lèvre morose
4 Le souvenir cuisant de son limon amer.

— Ta main se glisse en vain sur mon sein qui se pâme ;
Ce qu'elle cherche, amie, est un lieu saccagé
Par la griffe et la dent féroce de la femme.
8 Ne cherchez plus mon cœur ; les bêtes l'ont mangé.

Mon cœur est un palais flétri par la cohue ;
On s'y soûle, on s'y tue, on s'y prend aux cheveux !
11 — Un parfum nage autour de votre gorge nue !...

O Beauté, dur fléau des âmes, tu le veux !
Avec tes yeux de feu, brillants comme des fêtes,
14 Calcine ces lambeaux qu'ont épargnés les bêtes !

LVI. — CHANT D'AUTOMNE

I

Bientôt nous plongerons dans les froides ténèbres;
Adieu, vive clarté de nos étés trop courts!
J'entends déjà tomber avec des chocs funèbres
4 Le bois retentissant sur le pavé des cours.

Tout l'hiver va rentrer dans mon être : colère,
Haine, frissons, horreur, labeur dur et forcé,
Et, comme le soleil dans son enfer polaire,
8 Mon cœur ne sera plus qu'un bloc rouge et glacé.

J'écoute en frémissant chaque bûche qui tombe;
L'échafaud qu'on bâtit n'a pas d'écho plus sourd.
Mon esprit est pareil à la tour qui succombe
12 Sous les coups du bélier infatigable et lourd.

Il me semble, bercé par ce choc monotone,
Qu'on cloue en grande hâte un cercueil quelque part.
Pour qui? — C'était hier l'été; voici l'automne!
16 Ce bruit mystérieux sonne comme un départ.

II

J'aime de vos longs yeux la lumière verdâtre,
Douce beauté, mais tout aujourd'hui m'est amer,
Et rien, ni votre amour, ni le boudoir, ni l'âtre,
20 Ne me vaut le soleil rayonnant sur la mer.

Et pourtant aimez-moi, tendre cœur! soyez mère,
Même pour un ingrat, même pour un méchant;
Amante ou sœur, soyez la douceur éphémère
24 D'un glorieux automne ou d'un soleil couchant.

Courte tâche! La tombe attend; elle est avide!
Ah! laissez-moi, mon front posé sur vos genoux,

Goûter, en regrettant l'été blanc et torride,
28 De l'arrière-saison le rayon jaune et doux !

LVII. — A UNE MADONE

EX-VOTO DANS LE GOUT ESPAGNOL

Je veux bâtir pour toi, Madone, ma maîtresse,
Un autel souterrain au fond de ma détresse,
Et creuser dans le coin le plus noir de mon cœur,
Loin du désir mondain et du regard moqueur,
5 Une niche, d'azur et d'or tout émaillée,
Où tu te dresseras, Statue émerveillée.
Avec mes Vers polis, treillis d'un pur métal
Savamment constellé de rimes de cristal,
Je ferai pour ta tête une énorme Couronne;
10 Et dans ma Jalousie, ô mortelle Madone,
Je saurai te tailler un Manteau, de façon
Barbare, roide et lourd, et doublé de soupçon,
Qui, comme une guérite, enfermera tes charmes;
Non de Perles brodé, mais de toutes mes Larmes !
15 Ta Robe, ce sera mon Désir, frémissant,
Onduleux, mon Désir qui monte et qui descend,
Aux pointes se balance, aux vallons se repose,
Et revêt d'un baiser tout ton corps blanc et rose;
Je te ferai de mon Respect de beaux Souliers
20 De satin, par tes pieds divins humiliés,
Qui, les emprisonnant dans une molle étreinte,
Comme un moule fidèle en garderont l'empreinte.
Si je ne puis, malgré tout mon art diligent,
Pour Marchepied tailler une Lune d'argent,
25 Je mettrai le Serpent qui me mord les entrailles
Sous tes talons, afin que tu foules et railles,
Reine victorieuse et féconde en rachats,
Ce monstre tout gonflé de haine et de crachats.
Tu verras mes Pensers, rangés comme les Cierges
30 Devant l'autel fleuri de la Reine des Vierges,
Etoilant de reflets le plafond peint en bleu,
Te regarder toujours avec des yeux de feu;
Et comme tout en moi te chérit et t'admire,
Tout se fera Benjoin, Encens, Oliban, Myrrhe,

35 Et sans cesse vers toi, sommet blanc et neigeux,
En Vapeurs montera mon Esprit orageux.

Enfin, pour compléter ton rôle de Marie,
Et pour mêler l'amour avec la barbarie,
Volupté noire ! des sept Péchés capitaux,
40 Bourreau plein de remords, je ferai sept Couteaux
Bien affilés, et, comme un jongleur insensible,
Prenant le plus profond de ton amour pour cible,
Je les planterai tous dans ton Cœur pantelant,
Dans ton Cœur sanglotant, dans ton Cœur ruisselant !

LVIII. — CHANSON D'APRÈS-MIDI

Quoique tes sourcils méchants
Te donnent un air étrange
Qui n'est pas celui d'un ange,
4 Sorcière aux yeux alléchants,

Je t'adore, ô ma frivole,
Ma terrible passion !
Avec la dévotion
8 Du prêtre pour son idole.

Le désert et la forêt
Embaument tes tresses rudes,
Ta tête a les attitudes
12 De l'énigme et du secret.

Sur ta chair le parfum rôde
Comme autour d'un encensoir ;
Tu charmes comme le soir,
16 Nymphe ténébreuse et chaude.

Ah ! les philtres les plus forts
Ne valent pas ta paresse,
Et tu connais la caresse
20 Qui fait revivre les morts !

Tes hanches sont amoureuses
De ton dos et de tes seins,

Et tu ravis les coussins
24 Par tes poses langoureuses.

Quelquefois, pour apaiser
Ta rage mystérieuse,
Tu prodigues, sérieuse,
28 La morsure et le baiser;

Tu me déchires, ma brune,
Avec un rire moqueur,
Et puis tu mets sur mon cœur
32 Ton œil doux comme la lune.

Sous tes souliers de satin,
Sous tes charmants pieds de soie,
Moi, je mets ma grande joie,
36 Mon génie et mon destin,

Mon âme par toi guérie,
Par toi, lumière et couleur !
Explosion de chaleur
40 Dans ma noire Sibérie !

LIX. — SISINA

Imaginez Diane en galant équipage,
Parcourant les forêts ou battant les halliers,
Cheveux et gorge au vent, s'enivrant de tapage,
4 Superbe et défiant les meilleurs cavaliers !

Avez-vous vu Théroigne, amante du carnage,
Excitant à l'assaut un peuple sans souliers,
La joue et l'œil en feu, jouant son personnage,
8 Et montant, sabre au poing, les royaux escaliers ?

Telle la Sisina ! Mais la douce guerrière
A l'âme charitable autant que meurtrière;
11 Son courage, affolé de poudre et de tambours,

Devant les suppliants sait mettre bas les armes,
Et son cœur, ravagé par la flamme, a toujours,
14 Pour qui s'en montre digne, un réservoir de larmes.

LX. — FRANCISCAE MEAE LAUDES

Novis te cantabo chordis,
O novelletum quod ludis
3 In solitudine cordis.

Esto sertis implicata,
O femina delicata,
6 Per quam solvuntur peccata !

Sicut beneficum Lethe,
Hauriam oscula de te,
9 Quæ imbuta es magnete.

Quum vitiorum tempestas
Turbabat omnes semitas,
12 Apparuisti, Deitas,

Velut stella salutaris
In naufragiis amaris...
15 Suspendam cor tuis aris !

Piscina plena virtutis,
Fons æternæ juventutis,
18 Labris vocem redde mutis !

Quod erat spurcum, cremasti ;
Quod rudius, exaequasti ;
21 Quod debile, confirmasti.

In fame mea taberna,
In nocte mea lucerna,
24 Recte me semper guberna.

Adde nunc vires viribus,
Dulce balneum suavibus
27 Unguentatum odoribus !

Meos circa lumbos mica,
O castitatis lorica,
30 Aqua tincta seraphica;

Patera gemmis corusca,
Panis salsus, mollis esca,
33 Divinum vinum, Francisca!

LXI. — A UNE DAME CRÉOLE

Au pays parfumé que le soleil caresse,
J'ai connu, sous un dais d'arbres tout empourprés
Et de palmiers d'où pleut sur les yeux la paresse,
4 Une dame créole aux charmes ignorés.

Son teint est pâle et chaud; la brune enchanteresse
A dans le cou des airs noblement maniérés;
Grande et svelte en marchant comme une chasseresse,
8 Son sourire est tranquille et ses yeux assurés.

Si vous alliez, Madame, au vrai pays de gloire,
Sur les bords de la Seine ou de la verte Loire,
11 Belle digne d'orner les antiques manoirs,

Vous feriez, à l'abri des ombreuses retraites,
Germer mille sonnets dans le cœur des poètes,
14 Que vos grands yeux rendraient plus soumis que vos [noirs.

LXII. — MŒSTA ET ERRABUNDA

Dis-moi, ton cœur parfois s'envole-t-il, Agathe,
Loin du noir océan de l'immonde cité,
Vers un autre océan où la splendeur éclate,
Bleu, clair, profond, ainsi que la virginité?
5 Dis-moi, ton cœur parfois s'envole-t-il, Agathe?

La mer, la vaste mer, console nos labeurs !
Quel démon a doté la mer, rauque chanteuse
Qu'accompagne l'immense orgue des vents grondeurs,
De cette fonction sublime de berceuse ?
10 La mer, la vaste mer, console nos labeurs !

Emporte-moi, wagon ! enlève-moi, frégate !
Loin ! loin ! ici la boue est faite de nos pleurs !
— Est-il vrai que parfois le triste cœur d'Agathe
Dise : Loin des remords, des crimes, des douleurs,
15 Emporte-moi, wagon, enlève-moi, frégate ?

Comme vous êtes loin, paradis parfumé,
Où sous un clair azur tout n'est qu'amour et joie,
Où tout ce que l'on aime est digne d'être aimé,
Où dans la volupté pure le cœur se noie !
20 Comme vous êtes loin, paradis parfumé !

Mais le vert paradis des amours enfantines,
Les courses, les chansons, les baisers, les bouquets,
Les violons vibrant derrière les collines,
Avec les brocs de vin, le soir, dans les bosquets,
25 — Mais le vert paradis des amours enfantines,

L'innocent paradis, plein de plaisirs furtifs,
Est-il déjà plus loin que l'Inde et que la Chine ?
Peut-on le rappeler avec des cris plaintifs,
Et l'animer encor d'une voix argentine,
30 L'innocent paradis plein de plaisirs furtifs ?

LXIII. — LE REVENANT

Comme les anges à l'œil fauve,
Je reviendrai dans ton alcôve
Et vers toi glisserai sans bruit
4 Avec les ombres de la nuit,

Et je te donnerai, ma brune,
Des baisers froids comme la lune
Et des caresses de serpent
8 Autour d'une fosse rampant.

Quand viendra le matin livide,
Tu trouveras ma place vide,
11 Où jusqu'au soir il fera froid.

Comme d'autres par la tendresse,
Sur ta vie et sur ta jeunesse,
14 Moi, je veux régner par l'effroi.

LXIV. — SONNET D'AUTOMNE

Ils me disent, tes yeux, clairs comme le cristal :
« Pour toi, bizarre amant, quel est donc mon mérite ? »
— Sois charmante et tais-toi ! Mon cœur, que tout
4 Excepté la candeur de l'antique animal, [irrite,

Ne veut pas te montrer son secret infernal,
Berceuse dont la main aux longs sommeils m'invite,
Ni sa noire légende avec la flamme écrite.
8 Je hais la passion et l'esprit me fait mal !

Aimons-nous doucement. L'Amour dans sa guérite,
Ténébreux, embusqué, bande son arc fatal.
11 Je connais les engins de son vieil arsenal :

Crime, horreur et folie ! — O pâle marguerite !
Comme moi n'es-tu pas un soleil automnal,
14 O ma si blanche, ô ma si froide Marguerite ?

LXV. — TRISTESSES DE LA LUNE

Ce soir, la lune rêve avec plus de paresse ;
Ainsi qu'une beauté, sur de nombreux coussins,
Qui d'une main distraite et légère caresse
4 Avant de s'endormir le contour de ses seins,

Sur le dos satiné des molles avalanches,
Mourante, elle se livre aux longues pâmoisons,
Et promène ses yeux sur les visions blanches
8 Qui montent dans l'azur comme des floraisons.

Quand parfois sur ce globe, en sa langueur oisive,
Elle laisse filer une larme furtive,
11 Un poète pieux, ennemi du sommeil,

Dans le creux de sa main prend cette larme pâle,
Aux reflets irisés comme un fragment d'opale,
14 Et la met dans son cœur loin des yeux du soleil.

LXVI. — LES CHATS

Les amoureux fervents et les savants austères
Aiment également, dans leur mûre saison,
Les chats puissants et doux, orgueil de la maison,
4 Qui comme eux sont frileux et comme eux sédentaires.

Amis de la science et de la volupté
Ils cherchent le silence et l'horreur des ténèbres;
L'Erèbe les eût pris pour ses coursiers funèbres,
8 S'ils pouvaient au servage incliner leur fierté.

Ils prennent en songeant les nobles attitudes
Des grands sphinx allongés au fond des solitudes,
11 Qui semblent s'endormir dans un rêve sans fin;

Leurs reins féconds sont pleins d'étincelles magiques,
Et des parcelles d'or, ainsi qu'un sable fin,
14 Etoilent vaguement leurs prunelles mystiques.

LXVII. — LES HIBOUX

Sous les ifs noirs qui les abritent,
Les hiboux se tiennent rangés,

Ainsi que des dieux étrangers,
4 Dardant leur œil rouge. Ils méditent.

Sans remuer ils se tiendront
Jusqu'à l'heure mélancolique
Où, poussant le soleil oblique,
8 Les ténèbres s'établiront.

Leur attitude au sage enseigne
Qu'il faut en ce monde qu'il craigne
11 Le tumulte et le mouvement,

L'homme ivre d'une ombre qui passe
Porte toujours le châtiment
14 D'avoir voulu changer de place.

LXVIII. — LA PIPE

Je suis la pipe d'un auteur;
On voit, à contempler ma mine
D'Abyssinienne ou de Cafrine,
4 Que mon maître est un grand fumeur.

Quand il est comblé de douleur,
Je fume comme la chaumine
Où se prépare la cuisine
8 Pour le retour du laboureur.

J'enlace et je berce son âme
Dans le réseau mobile et bleu
11 Qui monte de ma bouche en feu,

Et je roule un puissant dictame
Qui charme son cœur et guérit
14 De ses fatigues son esprit.

LXIX. — LA MUSIQUE

La musique souvent me prend comme une mer !
Vers ma pâle étoile,
Sous un plafond de brume ou dans un vaste éther,
4 Je mets à la voile;

La poitrine en avant et les poumons gonflés
Comme de la toile,
J'escalade le dos des flots amoncelés
8 Que la nuit me voile;

Je sens vibrer en moi toutes les passions
D'un vaisseau qui souffre;
11 Le bon vent, la tempête et ses convulsions

Sur l'immense gouffre
Me bercent. D'autres fois, calme plat, grand miroir
14 De mon désespoir !

LXX. — SÉPULTURE

Si par une nuit lourde et sombre
Un bon chrétien, par charité,
Derrière quelque vieux décombre
4 Enterre votre corps vanté,

A l'heure où les chastes étoiles
Ferment leurs yeux appesantis,
L'araignée y fera ses toiles,
8 Et la vipère ses petits;

Vous entendrez toute l'année
Sur votre tête condamnée
11 Les cris lamentables des loups

Et des sorcières faméliques,
Les ébats des vieillards lubriques
14 Et les complots des noirs filous.

LXXI. — UNE GRAVURE FANTASTIQUE

Ce spectre singulier n'a pour toute toilette,
Grotesquement campé sur son front de squelette,
Qu'un diadème affreux sentant le carnaval.
Sans éperons, sans fouet, il essouffle un cheval,
5 Fantôme comme lui, rosse apocalyptique,
Qui bave des naseaux comme un épileptique.
Au travers de l'espace ils s'enfoncent tous deux,
Et foulent l'infini d'un sabot hasardeux.
Le cavalier promène un sabre qui flamboie
10 Sur les foules sans nom que sa monture broie,
Et parcourt, comme un prince inspectant sa maison,
Le cimetière immense et froid, sans horizon,
Où gisent, aux lueurs d'un soleil blanc et terne,
Les peuples de l'histoire ancienne et moderne.

LXXII. — LE MORT JOYEUX

Dans une terre grasse et pleine d'escargots
Je veux creuser moi-même une fosse profonde,
Où je puisse à loisir étaler mes vieux os
4 Et dormir dans l'oubli comme un requin dans l'onde.

Je hais les testaments et je hais les tombeaux;
Plutôt que d'implorer une larme du monde,
Vivant, j'aimerais mieux inviter les corbeaux
8 A saigner tous les bouts de ma carcasse immonde.

O vers ! noirs compagnons sans oreille et sans yeux,
Voyez venir à vous un mort libre et joyeux;
11 Philosophes viveurs, fils de la pourriture,

A travers ma ruine allez donc sans remords,
Et dites-moi s'il est encor quelque torture
14 Pour ce vieux corps sans âme et mort parmi les morts !

LXXIII. — LE TONNEAU DE LA HAINE

La Haine est le tonneau des pâles Danaïdes;
La Vengeance éperdue aux bras rouges et forts
A beau précipiter dans ses ténèbres vides
4 De grands seaux pleins du sang et des larmes des
[morts,

Le Démon fait des trous secrets à ces abîmes,
Par où fuieraient mille ans de sueurs et d'efforts,
Quand même elle saurait ranimer ses victimes,
8 Et pour les pressurer ressusciter leurs corps.

La Haine est un ivrogne au fond d'une taverne,
Qui sent toujours la soif naître de la liqueur
11 Et se multiplier comme l'hydre de Lerne.

— Mais les buveurs heureux connaissent leur vain-
Et la Haine est vouée à ce sort lamentable [queur,
14 De ne pouvoir jamais s'endormir sous la table.

LXXIV. — LA CLOCHE FÊLÉE

Il est amer et doux, pendant les nuits d'hiver,
D'écouter, près du feu qui palpite et qui fume,
Les souvenirs lointains lentement s'élever
4 Au bruit des carillons qui chantent dans la brume,

Bienheureuse la cloche au gosier vigoureux
Qui, malgré sa vieillesse, alerte et bien portante,
Jette fidèlement son cri religieux,
8 Ainsi qu'un vieux soldat qui veille sous la tente !

Moi, mon âme est fêlée, et lorsqu'en ses ennuis
Elle veut de ses chants peupler l'air froid des nuits,
11 Il arrive souvent que sa voix affaiblie

Semble le râle épais d'un blessé qu'on oublie
Au bord d'un lac de sang, sous un grand tas de morts,
14 Et qui meurt, sans bouger, dans d'immenses efforts.

LXXV. — SPLEEN

Pluviôse, irrité contre la ville entière,
De son urne à grands flots verse un froid ténébreux
Aux pâles habitants du voisin cimetière
4 Et la mortalité sur les faubourgs brumeux.

Mon chat sur le carreau cherchant une litière
Agite sans repos son corps maigre et galeux;
L'âme d'un vieux poète erre dans la gouttière
8 Avec la triste voix d'un fantôme frileux.

Le bourdon se lamente, et la bûche enfumée
Accompagne en fausset la pendule enrhumée,
11 Cependant qu'en un jeu plein de sales parfums,

Héritage fatal d'une vieille hydropique,
Le beau valet de cœur et la dame de pique
14 Causent sinistrement de leurs amours défunts.

LXXVI. — SPLEEN

J'ai plus de souvenirs que si j'avais mille ans.

Un gros meuble à tiroirs encombré de bilans,
De vers, de billets doux, de procès, de romances,
Avec de lourds cheveux roulés dans des quittances,
5 Cache moins de secrets que mon triste cerveau.
C'est une pyramide, un immense caveau,

Qui contient plus de morts que la fosse commune.
— Je suis un cimetière abhorré de la lune,
Où comme des remords se traînent de longs vers
10 Qui s'acharnent toujours sur mes morts les plus chers.
Je suis un vieux boudoir plein de roses fanées,
Où gît tout un fouillis de modes surannées,
Où les pastels plaintifs et les pâles Boucher,
Seuls, respirent l'odeur d'un flacon débouché.

15 Rien n'égale en longueur les boiteuses journées,
Quand sous les lourds flocons des neigeuses années
L'ennui, fruit de la morne incuriosité,
Prend les proportions de l'immortalité.
— Désormais tu n'es plus, ô matière vivante !
20 Qu'un granit entouré d'une vague épouvante,
Assoupi dans le fond d'un Sahara brumeux;
Un vieux sphinx ignoré du monde insoucieux,
Oublié sur la carte, et dont l'humeur farouche
Ne chante qu'aux rayons du soleil qui se couche.

LXXVII. — SPLEEN

Je suis comme le roi d'un pays pluvieux,
Riche, mais impuissant, jeune et pourtant très vieux,
Qui, de ses précepteurs méprisant les courbettes,
S'ennuie avec ses chiens comme avec d'autres bêtes.
5 Rien ne peut l'égayer, ni gibier, ni faucon,
Ni son peuple mourant en face du balcon.
Du bouffon favori la grotesque ballade
Ne distrait plus le front de ce cruel malade;
Son lit fleurdelisé se transforme en tombeau,
10 Et les dames d'atour, pour qui tout prince est beau,
Ne savent plus trouver d'impudique toilette
Pour tirer un souris de ce jeune squelette.
Le savant qui lui fait de l'or n'a jamais pu
De son être extirper l'élément corrompu, [viennent,
15 Et dans ces bains de sang qui des Romains nous
Et dont sur leurs vieux jours les puissants se sou-
Il n'a su réchauffer ce cadavre hébété [viennent,
Où coule au lieu de sang l'eau verte du Léthé.

LXXVIII. — SPLEEN

Quand le ciel bas et lourd pèse comme un couvercle
Sur l'esprit gémissant en proie aux longs ennuis,
Et que de l'horizon embrassant tout le cercle
4 Il nous verse un jour noir plus triste que les nuits;

Quand la terre est changée en un cachot humide,
Où l'Espérance, comme une chauve-souris,
S'en va battant les murs de son aile timide
8 Et se cognant la tête à des plafonds pourris;

Quand la pluie étalant ses immenses traînées
D'une vaste prison imite les barreaux,
Et qu'un peuple muet d'infâmes araignées
12 Vient tendre ses filets au fond de nos cerveaux,

Des cloches tout à coup sautent avec furie
Et lancent vers le ciel un affreux hurlement,
Ainsi que des esprits errants et sans patrie
16 Qui se mettent à geindre opiniâtrement.

— Et de longs corbillards, sans tambours ni musique,
Défilent lentement dans mon âme; l'Espoir,
Vaincu, pleure, et l'Angoisse atroce, despotique,
20 Sur mon crâne incliné plante son drapeau noir.

LXXIX. — OBSESSION

Grands bois, vous m'effrayez comme des cathédrales;
Vous hurlez comme l'orgue; et dans nos cœurs mau-
[dits,
Chambres d'éternel deuil où vibrent de vieux râles,
4 Répondent les échos de vos *De profundis*.

Je te hais, Océan ! tes bonds et tes tumultes,
Mon esprit les retrouve en lui; ce rire amer
De l'homme vaincu, plein de sanglots et d'insultes,
8 Je l'entends dans le rire énorme de la mer.

Comme tu me plairais, ô nuit ! sans ces étoiles
Dont la lumière parle un langage connu !
11 Car je cherche le vide, et le noir, et le nu !

Mais les ténèbres sont elles-mêmes des toiles
Où vivent, jaillissant de mon œil par milliers,
14 Des êtres disparus aux regards familiers.

LXXX. — LE GOUT DU NÉANT

Morne esprit, autrefois amoureux de la lutte,
L'Espoir, dont l'éperon attisait ton ardeur,
Ne veut plus t'enfourcher ! Couche-toi sans pudeur,
Vieux cheval dont le pied à chaque obstacle butte.

5 Résigne-toi, mon cœur; dors ton sommeil de brute.

Esprit vaincu, fourbu ! Pour toi, vieux maraudeur,
L'amour n'a plus de goût, non plus que la dispute;
Adieu donc, chants du cuivre et soupirs de la flûte !
Plaisirs, ne tentez plus un cœur sombre et boudeur !

10 Le Printemps adorable a perdu son odeur !

Et le Temps m'engloutit minute par minute,
Comme la neige immense un corps pris de roideur;
Je contemple d'en haut le globe en sa rondeur
Et je n'y cherche plus l'abri d'une cahute.

15 Avalanche, veux-tu m'emporter dans ta chute ?

LXXXI. — ALCHIMIE DE LA DOULEUR

L'un t'éclaire avec son ardeur,
L'autre en toi met son deuil, Nature !
Ce qui dit à l'un : Sépulture !
4 Dit à l'autre : Vie et splendeur !

Hermès inconnu qui m'assistes
Et qui toujours m'intimidas,
Tu me rends l'égal de Midas,
8 Le plus triste des alchimistes;

Par toi je change l'or en fer
Et le paradis en enfers;
11 Dans le suaire des nuages

Je découvre un cadavre cher,
Et sur les célestes rivages
14 Je bâtis de grands sarcophages.

LXXXII. — HORREUR SYMPATHIQUE

De ce ciel bizarre et livide,
Tourmenté comme ton destin,
Quels pensers dans ton âme vide
4 Descendent ? Réponds, libertin.

— Insatiablement avide
De l'obscur et de l'incertain,
Je ne geindrai pas comme Ovide
8 Chassé du paradis latin.

Cieux déchirés comme des grèves,
En vous se mire mon orgueil,
11 Vos vastes nuages en deuil

Sont les corbillards de mes rêves,
Et vos lueurs sont le reflet
14 De l'Enfer où mon cœur se plaît.

LXXXIII. — L'HÉAUTONTIMOROUMÉNOS

A J. G. F.

Je te frapperai sans colère
Et sans haine, comme un boucher,
Comme Moïse le rocher !
4 Et je ferai de ta paupière,

Pour abreuver mon Saharah,
Jaillir les eaux de la souffrance.
Mon désir gonflé d'espérance
8 Sur tes pleurs salés nagera

Comme un vaisseau qui prend le large,
Et dans mon cœur qu'ils soûleront
Tes chers sanglots retentiront
12 Comme un tambour qui bat la charge !

Ne suis-je pas un faux accord
Dans la divine symphonie,
Grâce à la vorace Ironie
16 Qui me secoue et qui me mord ?

Elle est dans ma voix, la criarde !
C'est tout mon sang, ce poison noir !
Je suis le sinistre miroir
20 Où la mégère se regarde.

Je suis la plaie et le couteau !
Je suis le soufflet et la joue !
Je suis les membres et la roue,
24 Et la victime et le bourreau !

Je suis de mon cœur le vampire,
— Un de ces grands abandonnés

Au rire éternel condamnés,
28 Et qui ne peuvent plus sourire !

LXXXIV. — L'IRRÉMÉDIABLE

I

Une Idée, une Forme, un Etre
Parti de l'azur et tombé
Dans un Styx bourbeux et plombé
4 Où nul œil du Ciel ne pénètre;

Un Ange, imprudent voyageur
Qu'a tenté l'amour du difforme,
Au fond d'un cauchemar énorme
8 Se débattant comme un nageur,

Et luttant, angoisses funèbres !
Contre un gigantesque remous
Qui va chantant comme les fous
12 Et pirouettant dans les ténèbres;

Un malheureux ensorcelé
Dans ses tâtonnements futiles,
Pour fuir d'un lieu plein de reptiles,
16 Cherchant la lumière et la clé;

Un damné descendant sans lampe,
Au bord d'un gouffre dont l'odeur
Trahit l'humide profondeur,
20 D'éternels escaliers sans rampe,

Où veillent des monstres visqueux
Dont les larges yeux de phosphore
Font une nuit plus noire encore
24 Et ne rendent visibles qu'eux;

Un navire pris dans le pôle,
Comme en un piège de cristal,
Cherchant par quel détroit fatal
28 Il est tombé dans cette geôle;

— Emblèmes nets, tableau parfait
D'une fortune irrémédiable,
Qui donne à penser que le Diable
32 Fait toujours bien tout ce qu'il fait !

II

Tête-à-tête sombre et limpide
Qu'un cœur devenu son miroir !
Puits de Vérité, clair et noir,
36 Où tremble une étoile livide,

Un phare ironique, infernal,
Flambeau des grâces sataniques,
Soulagement et gloire uniques
40 — La conscience dans le Mal !

LXXXV. — L'HORLOGE

Horloge ! dieu sinistre, effrayant, impassible,
Dont le doigt nous menace et nous dit : « *Souviens-toi !*
Les vibrantes Douleurs dans ton cœur plein d'effroi
4 Se planteront bientôt comme dans une cible,

Le Plaisir vaporeux fuira vers l'horizon
Ainsi qu'une sylphide au fond de la coulisse;
Chaque instant te dévore un morceau du délice
8 A chaque homme accordé pour toute sa saison.

Trois mille six cents fois par heure, la Seconde
Chuchote : *Souviens-toi !* — Rapide, avec sa voix
D'insecte, Maintenant dit : Je suis Autrefois,
12 Et j'ai pompé ta vie avec ma trompe immonde !

Remember ! Souviens-toi, prodigue ! *Esto memor !*
(Mon gosier de métal parle toutes les langues.)
Les minutes, mortel folâtre, sont des gangues
16 Qu'il ne faut pas lâcher sans en extraire l'or !

Souviens-toi que le Temps est un joueur avide
Qui gagne sans tricher, à tout coup ! c'est la loi.
Le jour décroît; la nuit augmente, *souviens-toi !*
20 Le gouffre a toujours soif; la clepsydre se vide.

Tantôt sonnera l'heure où le divin Hasard,
Où l'auguste Vertu, ton épouse encor vierge,
Où le Repentir même (oh ! la dernière auberge !),
24 Où tout te dira : Meurs, vieux lâche ! il est trop tard ! »

TABLEAUX PARISIENS

LXXXVI. — PAYSAGE

Je veux, pour composer chastement mes églogues,
Coucher auprès du ciel, comme les astrologues,
Et, voisin des clochers, écouter en rêvant
Leurs hymnes solennels emportés par le vent.
5 Les deux mains au menton, du haut de ma mansarde,
Je verrai l'atelier qui chante et qui bavarde;
Les tuyaux, les clochers, ces mâts de la cité,
Et les grands ciels qui font rêver d'éternité.

Il est doux, à travers les brumes, de voir naître
10 L'étoile dans l'azur, la lampe à la fenêtre,
Les fleuves de charbon monter au firmament
Et la lune verser son pâle enchantement.
Je verrai les printemps, les étés, les automnes;
Et quand viendra l'hiver aux neiges monotones,
15 Je fermerai partout portières et volets
Pour bâtir dans la nuit mes féeriques palais.
Alors je rêverai des horizons bleuâtres,
Des jardins, des jets d'eau pleurant dans les albâtres,
Des baisers, des oiseaux chantant soir et matin,
20 Et tout ce que l'Idylle a de plus enfantin.
L'Emeute, tempêtant vainement à ma vitre,
Ne fera pas lever mon front de mon pupitre;
Car je serai plongé dans cette volupté
D'évoquer le Printemps avec ma volonté,
25 De tirer un soleil de mon cœur, et de faire
De mes pensers brûlants une tiède atmosphère.

LXXXVII. — LE SOLEIL

Le long du vieux faubourg, où pendent aux masures
Les persiennes, abri des secrètes luxures,

Quand le soleil cruel frappe à traits redoublés
Sur la ville et les champs, sur les toits et les blés,
5 Je vais m'exercer seul à ma fantasque escrime,
Flairant dans tous les coins les hasards de la rime,
Trébuchant sur les mots comme sur les pavés,
Heurtant parfois des vers depuis longtemps rêvés.

Ce père nourricier, ennemi des chloroses,
10 Eveille dans les champs les vers comme les roses;
Il fait s'évaporer les soucis vers le ciel,
Et remplit les cerveaux et les ruches de miel.
C'est lui qui rajeunit les porteurs de béquilles
Et les rend gais et doux comme des jeunes filles,
15 Et commande aux moissons de croître et de mûrir
Dans le cœur immortel qui toujours veut fleurir!

Quand, ainsi qu'un poète, il descend dans les villes,
Il ennoblit le sort des choses les plus viles,
Et s'introduit en roi, sans bruit et sans valets,
20 Dans tous les hôpitaux et dans tous les palais.

LXXXVIII. — A UNE MENDIANTE ROUSSE

Blanche fille aux cheveux roux,
Dont la robe par ses trous
Laisse voir la pauvreté
4 Et la beauté,

Pour moi, poète chétif,
Ton jeune corps maladif,
Plein de taches de rousseur,
8 A sa douceur.

Tu portes plus galamment
Qu'une reine de roman
Ses cothurnes de velours
12 Tes sabots lourds.

Au lieu d'un haillon trop court,
Qu'un superbe habit de cour

Traîne à plis bruyants et longs
16 Sur tes talons;

En place de bas troués,
Que pour les yeux des roués
Sur ta jambe un poignard d'or
20 Reluise encor;

Que des nœuds mal attachés
Dévoilent pour nos péchés
Tes deux beaux seins, radieux
24 Comme des yeux;

Que pour te déshabiller
Tes bras se fassent prier
Et chassent à coups mutins
28 Les doigts lutins,

Perles de la plus belle eau,
Sonnets de maître Belleau
Par tes galants mis aux fers
32 Sans cesse offerts,

Valetaille de rimeurs
Te dédiant leurs primeurs
Et contemplant ton soulier
36 Sous l'escalier,

Maint page épris du hasard,
Maint seigneur et maint Ronsard
Epieraient pour le déduit
40 Ton frais réduit!

Tu compterais dans tes lits
Plus de baisers que de lis
Et rangerais sous tes lois
44 Plus d'un Valois!

— Cependant tu vas gueusant
Quelques vieux débris gisant
Au seuil de quelque Véfour
48 De carrefour;

Tu vas lorgnant en dessous
Des bijoux de vingt-neuf sous

Dont je ne puis, oh ! pardon !
52 Te faire don.

Va donc, sans autre ornement,
Parfum, perles, diamant,
Que ta maigre nudité,
56 O ma beauté !

LXXXIX. — LE CYGNE

A VICTOR HUGO

I

Andromaque, je pense à vous ! Ce petit fleuve,
Pauvre et triste miroir où jadis resplendit
L'immense majesté de vos douleurs de veuve,
4 Ce Simoïs menteur qui par vos pleurs grandit,

A fécondé soudain ma mémoire fertile,
Comme je traversais le nouveau Carrousel.
Le vieux Paris n'est plus (la forme d'une ville
8 Change plus vite, hélas ! que le cœur d'un mortel);

Je ne vois qu'en esprit tout ce camp de baraques,
Ces tas de chapiteaux ébauchés et de fûts,
Les herbes, les gros blocs verdis par l'eau des flaques,
12 Et, brillant aux carreaux, le bric-à-brac confus.

Là s'étalait jadis une ménagerie;
Là je vis, un matin, à l'heure où sous les cieux
Froids et clairs le Travail s'éveille, où la voirie
16 Pousse un sombre ouragan dans l'air silencieux,

Un cygne qui s'était évadé de sa cage,
Et, de ses pieds palmés frottant le pavé sec,
Sur le sol raboteux traînait son blanc plumage.
20 Près d'un ruisseau sans eau la bête ouvrant le bec

Baignait nerveusement ses ailes dans la poudre,
Et disait, le cœur plein de son beau lac natal :

« Eau, quand donc pleuvras-tu? quand tonneras-tu,
[foudre? »
24 Je vois ce malheureux, mythe étrange et fatal,

Vers le ciel quelquefois, comme l'homme d'Ovide,
Vers le ciel ironique et cruellement bleu,
Sur son cou convulsif tendant sa tête avide,
28 Comme s'il adressait des reproches à Dieu!

II

Paris change! mais rien dans ma mélancolie
N'a bougé! palais neufs, échafaudages, blocs,
Vieux faubourgs, tout pour moi devient allégorie,
32 Et mes chers souvenirs sont plus lourds que des rocs.

Aussi devant ce Louvre une image m'opprime :
Je pense à mon grand cygne, avec ses gestes fous,
Comme les exilés, ridicule et sublime,
36 Et rongé d'un désir sans trêve! et puis à vous,

Andromaque, des bras d'un grand époux tombée,
Vil bétail, sous la main du superbe Pyrrhus,
Auprès d'un tombeau vide en extase courbée;
40 Veuve d'Hector, hélas! et femme d'Hélénus!

Je pense à la négresse, amaigrie et phtisique,
Piétinant dans la boue, et cherchant, l'œil hagard,
Les cocotiers absents de la superbe Afrique
44 Derrière la muraille immense du brouillard;

A quiconque a perdu ce qui ne se retrouve
Jamais, jamais! à ceux qui s'abreuvent de pleurs
Et tettent la Douleur comme une bonne louve!
48 Aux maigres orphelins séchant comme des fleurs!

Ainsi dans la forêt où mon esprit s'exile
Un vieux Souvenir sonne à plein souffle du cor!
Je pense aux matelots oubliés dans une île,
52 Aux captifs, aux vaincus!... à bien d'autres encor!

XC. — LES SEPT VIEILLARDS

A VICTOR HUGO

Fourmillante cité, cité pleine de rêves,
Où le spectre en plein jour raccroche le passant !
Les mystères partout coulent comme des sèves
4 Dans les canaux étroits du colosse puissant.

Un matin, cependant que dans la triste rue
Les maisons, dont la brume allongeait la hauteur,
Simulaient les deux quais d'une rivière accrue,
8 Et que, décor semblable à l'âme de l'acteur,

Un brouillard sale et jaune inondait tout l'espace,
Je suivais, roidissant mes nerfs comme un héros
Et discutant avec mon âme déjà lasse,
12 Le faubourg secoué par les lourds tombereaux.

Tout à coup, un vieillard dont les guenilles jaunes
Imitaient la couleur de ce ciel pluvieux,
Et dont l'aspect aurait fait pleuvoir les aumônes,
16 Sans la méchanceté qui luisait dans ses yeux,

M'apparut. On eût dit sa prunelle trempée
Dans le fiel; son regard aiguisait les frimas,
Et sa barbe à longs poils, roide comme une épée,
20 Se projetait, pareille à celle de Judas.

Il n'était pas voûté, mais cassé, son échine
Faisant avec sa jambe un parfait angle droit,
Si bien que son bâton, parachevant sa mine,
24 Lui donnait la tournure et le pas maladroit

D'un quadrupède infirme ou d'un Juif à trois pattes.
Dans la neige et la boue il allait s'empêtrant,
Comme s'il écrasait des morts sous ses savates,
28 Hostile à l'univers plutôt qu'indifférent.

Son pareil le suivait : barbe, œil, dos, bâton, loques,
Nul trait ne distinguait, du même enfer venu,
Ce jumeau centenaire, et ces spectres baroques
32 Marchaient du même pas vers un but inconnu.

A quel complot infâme étais-je donc en butte,
Ou quel méchant hasard ainsi m'humiliait ?
Car je comptai sept fois, de minute en minute,
36 Ce sinistre vieillard qui se multipliait !

Que celui-là qui rit de mon inquiétude,
Et qui n'est pas saisi d'un frisson fraternel,
Songe bien que malgré tant de décrépitude
40 Ces sept monstres hideux avaient l'air éternel !

Aurais-je, sans mourir, contemplé le huitième,
Sosie inexorable, ironique et fatal,
Dégoûtant Phénix, fils et père de lui-même ?
44 — Mais je tournai le dos au cortège infernal.

Exaspéré comme un ivrogne qui voit double,
Je rentrai, je fermai ma porte, épouvanté,
Malade et morfondu, l'esprit fiévreux et trouble,
48 Blessé par le mystère et par l'absurdité !

Vainement ma raison voulait prendre la barre ;
La tempête en jouant déroutait ses efforts,
Et mon âme dansait, dansait, vieille gabarre
52 Sans mâts, sur une mer monstrueuse et sans bords !

XCI. — LES PETITES VIEILLES

A VICTOR HUGO

I

Dans les plis sinueux des vieilles capitales,
Où tout, même l'horreur, tourne aux enchantements,
Je guette, obéissant à mes humeurs fatales,
4 Des êtres singuliers, décrépits et charmants.

Ces monstres disloqués furent jadis des femmes,
Eponine ou Laïs ! Monstres brisés, bossus
Ou tordus, aimons-les ! ce sont encor des âmes.
8 Sous des jupons troués et sous de froids tissus

Ils rampent, flagellés par les bises iniques,
Frémissant au fracas roulant des omnibus,
Et serrant sur leur flanc, ainsi que des reliques,
12 Un petit sac brodé de fleurs ou de rébus;

Ils trottent, tout pareils à des marionnettes;
Se traînent, comme font les animaux blessés,
Ou dansent, sans vouloir danser, pauvres sonnettes
16 Où se pend un Démon sans pitié ! Tout cassés

Qu'ils sont, ils ont des yeux perçants comme une vrille,
Luisants comme ces trous où l'eau dort dans la nuit;
Ils ont les yeux divins de la petite fille
20 Qui s'étonne et qui rit à tout ce qui reluit.

— Avez-vous observé que maints cercueils de vieilles
Sont presque aussi petits que celui d'un enfant?
La Mort savante met dans ces bières pareilles
24 Un symbole d'un goût bizarre et captivant,

Et lorsque j'entrevois un fantôme débile
Traversant de Paris le fourmillant tableau,
Il me semble toujours que cet être fragile
28 S'en va tout doucement vers un nouveau berceau;

A moins que, méditant sur la géométrie,
Je ne cherche, à l'aspect de ces membres discords,
Combien de fois il faut que l'ouvrier varie
32 La forme de la boîte où l'on met tous ces corps.

— Ces yeux sont des puits faits d'un million de larmes,
Des creusets qu'un métal refroidi pailleta...
Ces yeux mystérieux ont d'invincibles charmes
36 Pour celui que l'austère Infortune allaita !

II

De Frascati défunt Vestale enamourée;
Prêtresse de Thalie, hélas ! dont le souffleur

Enterré sait le nom; célèbre évaporée
40 Que Tivoli jadis ombragea dans sa fleur,

Toutes m'enivrent; mais parmi ces êtres frêles
Il en est qui, faisant de la douleur un miel,
Ont dit au Dévouement qui leur prêtait ses ailes :
44 Hippogriffe puissant, mène-moi jusqu'au ciel !

L'une, par sa patrie au malheur exercée,
L'autre, que son époux surchargea de douleurs,
L'autre, par son enfant Madone transpercée,
48 Toutes auraient pu faire un fleuve avec leurs pleurs !

III

Ah ! que j'en ai suivi de ces petites vieilles !
Une, entre autres, à l'heure où le soleil tombant
Ensanglante le ciel de blessures vermeilles,
52 Pensive, s'asseyait à l'écart sur un banc,

Pour entendre un de ces concerts, riches de cuivre,
Dont les soldats parfois inondent nos jardins,
Et qui, dans ces soirs d'or où l'on se sent revivre,
56 Versent quelque héroïsme au cœur des citadins.

Celle-là, droite encor, fière et sentant la règle,
Humait avidement ce chant vif et guerrier;
Son œil parfois s'ouvrait comme l'œil d'un vieil aigle;
60 Son front de marbre avait l'air fait pour le laurier !

IV

Telles vous cheminez, stoïques et sans plaintes,
A travers le chaos des vivantes cités,
Mères au cœur saignant, courtisanes ou saintes,
64 Dont autrefois les noms par tous étaient cités.

Vous qui fûtes la grâce ou qui fûtes la gloire,
Nul ne vous reconnaît ! un ivrogne incivil
Vous insulte en passant d'un amour dérisoire;
68 Sur vos talons gambade un enfant lâche et vil.

Honteuses d'exister, ombres ratatinées,
Peureuses, le dos bas, vous côtoyez les murs;

Et nul ne vous salue, étranges destinées!
72 Débris d'humanité pour l'éternité mûrs!

Mais moi, moi qui de loin tendrement vous surveille,
L'œil inquiet, fixé sur vos pas incertains,
Tout comme si j'étais votre père, ô merveille!
76 Je goûte à votre insu des plaisirs clandestins :

Je vois s'épanouir vos passions novices;
Sombres ou lumineux, je vis vos jours perdus;
Mon cœur multiplié jouit de tous vos vices!
80 Mon âme resplendit de toutes vos vertus!

Ruines! ma famille! ô cerveaux congénères!
Je vous fais chaque soir un solennel adieu!
Où serez-vous demain, Eves octogénaires,
84 Sur qui pèse la griffe effroyable de Dieu?

XCII. — LES AVEUGLES

Contemple-les, mon âme; ils sont vraiment affreux!
Pareils aux mannequins; vaguement ridicules;
Terribles, singuliers comme les somnambules;
4 Dardant on ne sait où leurs globes ténébreux.

Leurs yeux, d'où la divine étincelle est partie,
Comme s'ils regardaient au loin, restent levés
Au ciel; on ne les voit jamais vers les pavés
8 Pencher rêveusement leur tête appesantie.

Ils traversent ainsi le noir illimité,
Ce frère du silence éternel. O cité!
11 Pendant qu'autour de nous tu chantes, ris et beugles,

Eprise du plaisir jusqu'à l'atrocité,
Vois! je me traîne aussi! mais, plus qu'eux hébété,
14 Je dis : Que cherchent-ils au Ciel, tous ces aveugles?

XCIII. — A UNE PASSANTE

La rue assourdissante autour de moi hurlait.
Longue, mince, en grand deuil, douleur majestueuse,
Une femme passa, d'une main fastueuse
4 Soulevant, balançant le feston et l'ourlet;

Agile et noble, avec sa jambe de statue.
Moi, je buvais, crispé comme un extravagant,
Dans son œil, ciel livide où germe l'ouragan,
8 La douceur qui fascine et le plaisir qui tue.

Un éclair... puis la nuit ! — Fugitive beauté
Dont le regard m'a fait soudainement renaître,
11 Ne te verrai-je plus que dans l'éternité ?

Ailleurs, bien loin d'ici ! trop tard ! *jamais* peut-être !
Car j'ignore où tu fuis, tu ne sais où je vais,
14 O toi que j'eusse aimée, ô toi qui le savais !

XCIV. — LE SQUELETTE LABOUREUR

I

Dans les planches d'anatomie
Qui traînent sur ces quais poudreux
Où maint livre cadavéreux
4 Dort comme une antique momie,

Dessins auxquels la gravité
Et le savoir d'un vieil artiste,
Bien que le sujet en soit triste,
8 Ont communiqué la Beauté,

On voit, ce qui rend plus complètes
Ces mystérieuses horreurs,
Bêchant comme des laboureurs,
12 Des Ecorchés et des Squelettes.

II

De ce terrain que vous fouillez,
Manants résignés et funèbres,
De tout l'effort de vos vertèbres,
16 Ou de vos muscles dépouillés,

Dites, quelle moisson étrange,
Forçats arrachés au charnier,
Tirez-vous, et de quel fermier
20 Avez-vous à remplir la grange ?

Voulez-vous (d'un destin trop dur
Epouvantable et clair emblème !)
Montrer que dans la fosse même
24 Le sommeil promis n'est pas sûr;

Qu'envers nous le Néant est traître;
Que tout, même la Mort, nous ment,
Et que sempiternellement,
28 Hélas ! il nous faudra peut-être

Dans quelque pays inconnu
Ecorcher la terre revêche
Et pousser une lourde bêche
32 Sous notre pied sanglant et nu ?

XCV. — LE CRÉPUSCULE DU SOIR

Voici le soir charmant, ami du criminel;
Il vient comme un complice, à pas de loup; le ciel
Se ferme lentement comme une grande alcôve,
Et l'homme impatient se change en bête fauve.
5 O soir, aimable soir, désiré par celui
Dont les bras, sans mentir, peuvent dire : Aujourd'hui

Nous avons travaillé ! — C'est le soir qui soulage
Les esprits que dévore une douleur sauvage,
Le savant obstiné dont le front s'alourdit,
10 Et l'ouvrier courbé qui regagne son lit.
Cependant des démons malsains dans l'atmosphère
S'éveillent lourdement, comme des gens d'affaire,
Et cognent en volant les volets et l'auvent.
A travers les lueurs que tourmente le vent
15 La Prostitution s'allume dans les rues;
Comme une fourmilière elle ouvre ses issues;
Partout elle se fraye un occulte chemin,
Ainsi que l'ennemi qui tente un coup de main;
Elle remue au sein de la cité de fange
20 Comme un ver qui dérobe à l'Homme ce qu'il mange.
On entend çà et là les cuisines siffler,
Les théâtres glapir, les orchestres ronfler;
Les tables d'hôte, dont le jeu fait les délices,
S'emplissent de catins et d'escrocs, leurs complices,
25 Et les voleurs, qui n'ont ni trêve ni merci,
Vont bientôt commencer leur travail, eux aussi,
Et forcer doucement les portes et les caisses
Pour vivre quelques jours et vêtir leurs maîtresses.

Recueille-toi, mon âme, en ce grave moment,
30 Et ferme ton oreille à ce rugissement.
C'est l'heure où les douleurs des malades s'aigrissent !
La sombre Nuit les prend à la gorge; ils finissent
Leur destinée et vont vers le gouffre commun;
L'hôpital se remplit de leurs soupirs. — Plus d'un
35 Ne viendra plus chercher la soupe parfumée,
Au coin du feu, le soir, auprès d'une âme aimée.

Encore la plupart n'ont-ils jamais connu
La douceur du foyer et n'ont jamais vécu !

XCVI. — LE JEU

Dans des fauteuils fanés des courtisanes vieilles,
Pâles, le sourcil peint, l'œil câlin et fatal,
Minaudant, et faisant de leurs maigres oreilles
4 Tomber un cliquetis de pierre et de métal;

Autour des verts tapis des visages sans lèvre,
Des lèvres sans couleur, des mâchoires sans dent,
Et des doigts convulsés d'une infernale fièvre,
8 Fouillant la poche vide ou le sein palpitant;

Sous de sales plafonds un rang de pâles lustres
Et d'énormes quinquets projetant leurs lueurs
Sur des fronts ténébreux de poètes illustres
12 Qui viennent gaspiller leurs sanglantes sueurs;

Voilà le noir tableau qu'en un rêve nocturne
Je vis se dérouler sous mon œil clairvoyant.
Moi-même, dans un coin de l'antre taciturne,
16 Je me vis accoudé, froid, muet, enviant,

Enviant de ces gens la passion tenace,
De ces vieilles putains la funèbre gaieté,
Et tous gaillardement trafiquant à ma face,
20 L'un de son vieil honneur, l'autre de sa beauté!

Et mon cœur s'effraya d'envier maint pauvre homme
Courant avec ferveur à l'abîme béant,
Et qui, soûl de son sang, préférerait en somme
24 La douleur à la mort et l'enfer au néant!

XCVII. — DANSE MACABRE

A ERNEST CHRISTOPHE

Fière, autant qu'un vivant, de sa noble stature,
Avec son gros bouquet, son mouchoir et ses gants,
Elle a la nonchalance et la désinvolture
4 D'une coquette maigre aux airs extravagants.

Vit-on jamais au bal une taille plus mince?
Sa robe exagérée, en sa royale ampleur,
S'écroule abondamment sur un pied sec que pince
8 Un soulier pomponné, joli comme une fleur.

La ruche qui se joue au bord des clavicules,
Comme un ruisseau lascif qui se frotte au rocher,

Défend pudiquement des lazzi ridicules
12 Les funèbres appas qu'elle tient à cacher.

Ses yeux profonds sont faits de vide et de ténèbres,
Et son crâne, de fleurs artistement coiffé,
Oscille mollement sur ses frêles vertèbres.
16 O charme d'un néant follement attifé.

Aucuns t'appelleront une caricature,
Qui ne comprennent pas, amants ivres de chair,
L'élégance sans nom de l'humaine armature.
20 Tu réponds, grand squelette, à mon goût le plus cher !

Viens-tu troubler, avec ta puissante grimace,
La fête de la Vie ? ou quelque vieux désir,
Eperonnant encor ta vivante carcasse,
24 Te pousse-t-il, crédule, au sabbat du Plaisir ?

Au chant des violons, aux flammes des bougies,
Espères-tu chasser ton cauchemar moqueur,
Et viens-tu demander au torrent des orgies
28 De rafraîchir l'enfer allumé dans ton cœur ?

Inépuisable puits de sottise et de fautes !
De l'antique douleur éternel alambic !
A travers le treillis recourbé de tes côtes
32 Je vois, errant encor, l'insatiable aspic.

Pour dire vrai, je crains que ta coquetterie
Ne trouve pas un prix digne de ses efforts ;
Qui, de ces cœurs mortels, entend la raillerie ?
36 Les charmes de l'horreur n'enivrent que les forts !

Le gouffre de tes yeux, plein d'horribles pensées,
Exhale le vertige, et les danseurs prudents
Ne contempleront pas sans d'amères nausées
40 Le sourire éternel de tes trente-deux dents.

Pourtant, qui n'a serré dans ses bras un squelette,
Et qui ne s'est nourri des choses du tombeau ?
Qu'importe le parfum, l'habit ou la toilette ?
44 Qui fait le dégoûté montre qu'il se croit beau.

Bayadère sans nez, irrésistible gouge,
Dis donc à ces danseurs qui font les offusqués :

« Fiers mignons, malgré l'art des poudres et du rouge,
48 Vous sentez tous la mort ! O squelettes musqués,

Antinoüs flétris, dandys à face glabre,
Cadavres vernissés, lovelaces chenus,
Le branle universel de la danse macabre
52 Vous entraîne en des lieux qui ne sont pas connus !
[Gange,
Des quais froids de la Seine aux bords brûlants du
Le troupeau mortel saute et se pâme, sans voir
Dans un trou du plafond la trompette de l'Ange
56 Sinistrement béante ainsi qu'un tromblon noir.

En tout climat, sous tout soleil, la Mort t'admire
En tes contorsions, risible Humanité,
Et souvent, comme toi, se parfumant de myrrhe,
60 Mêle son ironie à ton insanité ! »

XCVIII. — L'AMOUR DU MENSONGE

Quand je te vois passer, ô ma chère indolente,
Au chant des instruments qui se brise au plafond
Suspendant ton allure harmonieuse et lente,
4 Et promenant l'ennui de ton regard profond;

Quand je contemple, aux feux du gaz qui le colore,
Ton front pâle, embelli par un morbide attrait,
Où les torches du soir allument une aurore,
8 Et tes yeux attirants comme ceux d'un portrait,

Je me dis : Qu'elle est belle ! et bizarrement fraîche !
Le souvenir massif, royale et lourde tour,
La couronne, et son cœur, meurtri comme une pêche,
12 Est mûr, comme son corps, pour le savant amour.

Es-tu le fruit d'automne aux saveurs souveraines ?
Es-tu vase funèbre attendant quelques pleurs,
Parfum qui fait rêver aux oasis lointaines,
16 Oreiller caressant, ou corbeille de fleurs ?

Je sais qu'il est des yeux, des plus mélancoliques,
Qui ne recèlent point de secrets précieux;
Beaux écrins sans joyaux, médaillons sans reliques,
20 Plus vides, plus profonds que vous-mêmes, ô Cieux !

Mais ne suffit-il pas que tu sois l'apparence,
Pour réjouir un cœur qui fuit la vérité?
Qu'importe ta bêtise ou ton indifférence?
24 Masque ou décor, salut ! J'adore ta beauté.

XCIX

Je n'ai pas oublié, voisine de la ville,
Notre blanche maison, petite mais tranquille;
Sa Pomone de plâtre et sa vieille Vénus
Dans un bosquet chétif cachant leurs membres nus,
5 Et le soleil, le soir, ruisselant et superbe,
Qui, derrière la vitre où se brisait sa gerbe,
Semblait, grand œil ouvert dans le ciel curieux,
Contempler nos dîners longs et silencieux,
Répandant largement ses beaux reflets de cierge
10 Sur la nappe frugale et les rideaux de serge.

C

La servante au grand cœur dont vous étiez jalouse,
Et qui dort son sommeil sous une humble pelouse,
Nous devrions pourtant lui porter quelques fleurs.
Les morts, les pauvres morts, ont de grandes douleurs,
5 Et quand Octobre souffle, émondeur des vieux arbres,
Son vent mélancolique à l'entour de leurs marbres,
Certe, ils doivent trouver les vivants bien ingrats,
A dormir, comme ils font, chaudement dans leurs
Tandis que, dévorés de noires songeries, [draps,
10 Sans compagnon de lit, sans bonnes causeries,

Vieux squelettes gelés travaillés par le ver,
Ils sentent s'égoutter les neiges de l'hiver
Et le siècle couler, sans qu'amis ni famille
Remplacent les lambeaux qui pendent à leur grille.

15 Lorsque la bûche siffle et chante, si le soir,
Calme, dans le fauteuil je la voyais s'asseoir,
Si, par une nuit bleue et froide de décembre,
Je la trouvais tapie en un coin de ma chambre,
Grave, et venant du fond de son lit éternel
20 Couver l'enfant grandi de son œil maternel,
Que pourrais-je répondre à cette âme pieuse,
Voyant tomber des pleurs de sa paupière creuse ?

CI. — BRUMES ET PLUIES

O fins d'automne, hivers, printemps trempés de boue,
Endormeuses saisons ! je vous aime et vous loue
D'envelopper ainsi mon cœur et mon cerveau
4 D'un linceul vaporeux et d'un vague tombeau.

Dans cette grande plaine où l'autan froid se joue,
Où par les longues nuits la girouette s'enroue,
Mon âme mieux qu'au temps du tiède renouveau
8 Ouvrira largement ses ailes de corbeau.

Rien n'est plus doux au cœur plein de choses funèbres,
Et sur qui dès longtemps descendent les frimas,
11 O blafardes saisons, reines de nos climats,

Que l'aspect permanent de vos pâles ténèbres,
— Si ce n'est, par un soir sans lune, deux à deux,
14 D'endormir la douleur sur un lit hasardeux.

CII. — RÊVE PARISIEN

A CONSTANTIN GUYS

I

De ce terrible paysage,
Tel que jamais mortel n'en vit,
Ce matin encore l'image,
4 Vague et lointaine, me ravit.

Le sommeil est plein de miracles !
Par un caprice singulier,
J'avais banni de ces spectacles
8 Le végétal irrégulier,

Et, peintre fier de mon génie,
Je savourais dans mon tableau
L'enivrante monotonie
12 Du métal, du marbre et de l'eau.

Babel d'escaliers et d'arcades,
C'était un palais infini,
Plein de bassins et de cascades
16 Tombant dans l'or mat ou bruni;

Et des cataractes pesantes,
Comme des rideaux de cristal,
Se suspendaient, éblouissantes,
20 A des murailles de métal.

Non d'arbres, mais de colonnades
Les étangs dormants s'entouraient,
Où de gigantesques naïades,
24 Comme des femmes, se miraient.

Des nappes d'eau s'épanchaient, bleues,
Entre des quais roses et verts,
Pendant des millions de lieues,
28 Vers les confins de l'univers;

C'étaient des pierres inouïes
Et des flots magiques ; c'étaient
D'immenses glaces éblouies
32 Par tout ce qu'elles reflétaient !

Insouciants et taciturnes,
Des Ganges, dans le firmament,
Versaient le trésor de leurs urnes
36 Dans des gouffres de diamant.

Architecte de mes féeries,
Je faisais, à ma volonté,
Sous un tunnel de pierreries
40 Passer un océan dompté ;

Et tout, même la couleur noire,
Semblait fourbi, clair, irisé ;
Le liquide enchâssait sa gloire
44 Dans le rayon cristallisé.

Nul astre d'ailleurs, nuls vestiges
De soleil, même au bas du ciel,
Pour illuminer ces prodiges,
48 Qui brillaient d'un feu personnel !

Et sur ces mouvantes merveilles
Planait (terrible nouveauté !
Tout pour l'œil, rien pour les oreilles !)
52 Un silence d'éternité.

II

En rouvrant mes yeux pleins de flamme
J'ai vu l'horreur de mon taudis,
Et senti, rentrant dans mon âme,
56 La pointe des soucis maudits ;

La pendule aux accents funèbres
Sonnait brutalement midi,
Et le ciel versait des ténèbres
60 Sur le triste monde engourdi.

CIII. — LE CRÉPUSCULE DU MATIN

La diane chantait dans les cours des casernes,
Et le vent du matin soufflait sur les lanternes.

C'était l'heure où l'essaim des rêves malfaisants
Tord sur leurs oreillers les bruns adolescents;
5 Où, comme un œil sanglant qui palpite et qui bouge,
La lampe sur le jour fait une tache rouge;
Où l'âme, sous le poids du corps revêche et lourd,
Imite les combats de la lampe et du jour.
Comme un visage en pleurs que les brises essuient,
10 L'air est plein du frisson des choses qui s'enfuient,
Et l'homme est las d'écrire et la femme d'aimer.

Les maisons çà et là commençaient à fumer.
Les femmes de plaisir, la paupière livide,
Bouche ouverte, dormaient de leur sommeil stupide;
15 Les pauvresses, traînant leurs seins maigres et froids,
Soufflaient sur leurs tisons et soufflaient sur leurs [doigts.
C'était l'heure où parmi le froid et la lésine
S'aggravent les douleurs des femmes en gésine;
Comme un sanglot coupé par un sang écumeux
20 Le chant du coq au loin déchirait l'air brumeux;
Une mer de brouillards baignait les édifices,
Et les agonisants dans le fond des hospices
Poussaient leur dernier râle en hoquets inégaux.
Les débauchés rentraient, brisés par leurs travaux.

25 L'aurore grelottante en robe rose et verte
S'avançait lentement sur la Seine déserte,
Et le sombre Paris, en se frottant les yeux,
Empoignait ses outils, vieillard laborieux.

CIV. — L'AME DU VIN

Un soir, l'âme du vin chantait dans les bouteilles :
« Homme, vers toi je pousse, ô cher déshérité,
Sous ma prison de verre et mes cires vermeilles,
4 Un chant plein de lumière et de fraternité !

Je sais combien il faut, sur la colline en flamme,
De peine, de sueur et de soleil cuisant
Pour engendrer ma vie et pour me donner l'âme;
8 Mais je ne serai point ingrat ni malfaisant,

Car j'éprouve une joie immense quand je tombe
Dans le gosier d'un homme usé par ses travaux,
Et sa chaude poitrine est une douce tombe
12 Où je me plais bien mieux que dans mes froids [caveaux.

Entends-tu retentir les refrains des dimanches
Et l'espoir qui gazouille en mon sein palpitant ?
Les coudes sur la table et retroussant tes manches,
16 Tu me glorifieras et tu seras content;

J'allumerai les yeux de ta femme ravie;
A ton fils je rendrai sa force et ses couleurs
Et serai pour ce frêle athlète de la vie
20 L'huile qui raffermit les muscles des lutteurs.

En toi je tomberai, végétale ambroisie,
Grain précieux jeté par l'éternel Semeur,
Pour que de notre amour naisse la poésie
24 Qui jaillira vers Dieu comme une rare fleur ! »

CV. — LE VIN DES CHIFFONNIERS

Souvent, à la clarté rouge d'un réverbère
Dont le vent bat la flamme et tourmente le verre,
Au cœur d'un vieux faubourg, labyrinthe fangeux
4 Où l'humanité grouille en ferments orageux,

On voit un chiffonnier qui vient, hochant la tête,
Buttant, et se cognant aux murs comme un poète,
Et, sans prendre souci des mouchards, ses sujets,
8 Epanche tout son cœur en glorieux projets.

Il prête des serments, dicte des lois sublimes,
Terrasse les méchants, relève les victimes,
Et sous le firmament comme un dais suspendu
12 S'enivre des splendeurs de sa propre vertu.

Oui, ces gens harcelés de chagrins de ménage,
Moulus par le travail et tourmentés par l'âge,
Ereintés et pliant sous un tas de débris,
16 Vomissement confus de l'énorme Paris,

Reviennent, parfumés d'une odeur de futailles,
Suivis de compagnons, blanchis dans les batailles,
Dont la moustache pend comme les vieux drapeaux.
20 Les bannières, les fleurs et les arcs triomphaux

Se dressent devant eux, solennelle magie !
Et dans l'étourdissante et lumineuse orgie
Des clairons, du soleil, des cris et du tambour,
24 Ils apportent la gloire au peuple ivre d'amour !

C'est ainsi qu'à travers l'Humanité frivole
Le vin roule de l'or, éblouissant Pactole;
Par le gosier de l'homme il chante ses exploits
28 Et règne par ses dons ainsi que les vrais rois.

Pour noyer la rancœur et bercer l'indolence
De tous ces vieux maudits qui meurent en silence,

Dieu, touché de remords, avait fait le sommeil;
32 L'Homme ajouta le Vin, fils sacré du Soleil !

CVI. — LE VIN DE L'ASSASSIN

Ma femme est morte, je suis libre !
Je puis donc boire tout mon soûl.
Lorsque je rentrais sans un sou,
4 Ses cris me déchiraient la fibre.

Autant qu'un roi je suis heureux;
L'air est pur, le ciel admirable...
Nous avions un été semblable
8 Lorsque j'en devins amoureux !

L'horrible soif qui me déchire
Aurait besoin pour s'assouvir
D'autant de vin qu'en peut tenir
12 Son tombeau; — ce n'est pas peu dire :

Je l'ai jetée au fond d'un puits,
Et j'ai même poussé sur elle
Tous les pavés de la margelle.
16 — Je l'oublierai si je le puis !

Au nom des serments de tendresse,
Dont rien ne peut nous délier,
Et pour nous réconcilier
20 Comme au beau temps de notre ivresse,

J'implorai d'elle un rendez-vous,
Le soir, sur une route obscure.
Elle y vint ! — folle créature !
24 Nous sommes tous plus ou moins fous !

Elle était encore jolie,
Quoique bien fatiguée ! et moi,
Je l'aimais trop ! voilà pourquoi
28 Je lui dis : Sors de cette vie !

Nul ne peut me comprendre. Un seul
Parmi ces ivrognes stupides
Songea-t-il dans ses nuits morbides
32 A faire du vin un linceul?

Cette crapule invulnérable
Comme les machines de fer
Jamais, ni l'été ni l'hiver,
36 N'a connu l'amour véritable,

Avec ses noirs enchantements,
Son cortège infernal d'alarmes,
Ses fioles de poison, ses larmes,
40 Ses bruits de chaîne et d'ossements !

— Me voilà libre et solitaire !
Je serai ce soir ivre-mort;
Alors, sans peur et sans remord,
44 Je me coucherai sur la terre,

Et je dormirai comme un chien !
Le chariot aux lourdes roues
Chargé de pierres et de boues,
48 Le wagon enragé peut bien

Ecraser ma tête coupable
Ou me couper par le milieu,
Je m'en moque comme de Dieu,
52 Du Diable ou de la Sainte Table !

CVII. — LE VIN DU SOLITAIRE

Le regard singulier d'une femme galante
Qui se glisse vers nous comme le rayon blanc
Que la lune onduleuse envoie au lac tremblant,
4 Quand elle y veut baigner sa beauté nonchalante;

Le dernier sac d'écus dans les doigts d'un joueur;
Un baiser libertin de la maigre Adeline;
Les sons d'une musique énervante et câline,
8 Semblable au cri lointain de l'humaine douleur,

Tout cela ne vaut pas, ô bouteille profonde,
Les baumes pénétrants que ta panse féconde
11 Garde au cœur altéré du poète pieux;

Tu lui verses l'espoir, la jeunesse et la vie,
— Et l'orgueil, ce trésor de toute gueuserie,
14 Qui nous rend triomphants et semblables aux Dieux !

CVIII. — LE VIN DES AMANTS

Aujourd'hui l'espace est splendide !
Sans mors, sans éperons, sans bride,
Partons à cheval sur le vin
4 Pour un ciel féerique et divin !

Comme deux anges que torture
Une implacable calenture,
Dans le bleu cristal du matin
8 Suivons le mirage lointain !

Mollement balancés sur l'aile
Du tourbillon intelligent,
11 Dans un délire parallèle,

Ma sœur, côte à côte nageant,
Nous fuirons sans repos ni trêves
14 Vers le paradis de mes rêves !

FLEURS DU MAL

CIX. — LA DESTRUCTION

Sans cesse à mes côtés s'agite le Démon;
Il nage autour de moi comme un air impalpable;
Je l'avale et le sens qui brûle mon poumon
4 Et l'emplit d'un désir éternel et coupable.

Parfois il prend, sachant mon grand amour de l'Art,
La forme de la plus séduisante des femmes,
Et, sous de spécieux prétextes de cafard,
8 Accoutume ma lèvre à des philtres infâmes.

Il me conduit ainsi, loin du regard de Dieu,
Haletant et brisé de fatigue, au milieu
11 Des plaines de l'Ennui, profondes et désertes,

Et jette dans mes yeux pleins de confusion
Des vêtements souillés, des blessures ouvertes,
14 Et l'appareil sanglant de la Destruction !

CX. — UNE MARTYRE

DESSIN D'UN MAITRE INCONNU

Au milieu des flacons, des étoffes lamées
Et des meubles voluptueux,
Des marbres, des tableaux, des robes parfumées
4 Qui traînent à plis somptueux,

Dans une chambre tiède où, comme en une serre,
L'air est dangereux et fatal,
Où des bouquets mourants dans leurs cercueils de [verre
8 Exhalent leur soupir final,

Un cadavre sans tête épanche, comme un fleuve,
Sur l'oreiller désaltéré
Un sang rouge et vivant, dont la toile s'abreuve
12 Avec l'avidité d'un pré.

Semblable aux visions pâles qu'enfante l'ombre
Et qui nous enchaînent les yeux,
La tête, avec l'amas de sa crinière sombre
16 Et de ses bijoux précieux,

Sur la table de nuit, comme une renoncule,
Repose; et, vide de pensers,
Un regard vague et blanc comme le crépuscule
20 S'échappe des yeux révulsés.

Sur le lit, le tronc nu sans scrupules étale
Dans le plus complet abandon
La secrète splendeur et la beauté fatale
24 Dont la nature lui fit don;

Un bas rosâtre, orné de coins d'or, à la jambe,
Comme un souvenir est resté;
La jarretière, ainsi qu'un œil secret qui flambe,
28 Darde un regard diamanté.

Le singulier aspect de cette solitude
Et d'un grand portrait langoureux,
Aux yeux provocateurs comme son attitude,
32 Révèle un amour ténébreux,

Une coupable joie et des fêtes étranges
Pleines de baisers infernaux,
Dont se réjouissait l'essaim des mauvais anges
36 Nageant dans les plis des rideaux;

Et cependant, à voir la maigreur élégante
De l'épaule au contour heurté,
La hanche un peu pointue et la taille fringante
40 Ainsi qu'un reptile irrité,

Elle est bien jeune encor! — Son âme exaspérée
Et ses sens par l'ennui mordus
S'étaient-ils entr'ouverts à la meute altérée
44 Des désirs errants et perdus?

L'homme vindicatif que tu n'as pu, vivante,
Malgré tant d'amour, assouvir,
Combla-t-il sur ta chair inerte et complaisante
48 L'immensité de son désir?

Réponds, cadavre impur! et par tes tresses roides
Te soulevant d'un bras fiévreux,
Dis-moi, tête effrayante, a-t-il sur tes dents froides
52 Collé les suprêmes adieux?

— Loin du monde railleur, loin de la foule impure,
Loin des magistrats curieux,
Dors en paix, dors en paix, étrange créature,
56 Dans ton tombeau mystérieux;

Ton époux court le monde, et ta forme immortelle
Veille près de lui quand il dort;
Autant que toi sans doute il te sera fidèle,
60 Et constant jusques à la mort.

CXI. — FEMMES DAMNÉES

Comme un bétail pensif sur le sable couchées,
Elles tournent leurs yeux vers l'horizon des mers,
Et leurs pieds se cherchant et leurs mains rapprochées
4 Ont de douces langueurs et des frissons amers.

Les unes, cœurs épris des longues confidences,
Dans le fond des bosquets où jasent les ruisseaux,
Vont épelant l'amour des craintives enfances
8 Et creusent le bois vert des jeunes arbrisseaux;

D'autres, comme des sœurs, marchent lentes et graves
A travers les rochers pleins d'apparitions,
Où saint Antoine a vu surgir comme des laves
12 Les seins nus et pourprés de ses tentations;

Il en est, aux lueurs des résines croulantes,
Qui dans le creux muet des vieux antres païens
T'appellent au secours de leurs fièvres hurlantes,
16 O Bacchus, endormeur des remords anciens!

Et d'autres, dont la gorge aime les scapulaires,
Qui, recélant un fouet sous leurs longs vêtements,
Mêlent, dans le bois sombre et les nuits solitaires,
20 L'écume du plaisir aux larmes des tourments.

O vierges, ô démons, ô monstres, ô martyres,
De la réalité grands esprits contempteurs,
Chercheuses d'infini, dévotes et satyres,
24 Tantôt pleines de cris, tantôt pleines de pleurs,

Vous que dans votre enfer mon âme a poursuivies,
Pauvres sœurs, je vous aime autant que je vous plains,
Pour vos mornes douleurs, vos soifs inassouvies,
28 Et les urnes d'amour dont vos grands cœurs sont
[pleins !

CXII. — LES DEUX BONNES SŒURS

La Débauche et la Mort sont deux aimables filles,
Prodigues de baisers et riches de santé,
Dont le flanc toujours vierge et drapé de guenilles
4 Sous l'éternel labeur n'a jamais enfanté.

Au poète sinistre, ennemi des familles,
Favori de l'enfer, courtisan mal renté,
Tombeaux et lupanars montrent sous leurs charmilles
8 Un lit que le remords n'a jamais fréquenté.

Et la bière et l'alcôve en blasphèmes fécondes
Nous offrent tour à tour, comme deux bonnes sœurs,
11 De terribles plaisirs et d'affreuses douceurs.

[immondes ?
Quand veux-tu m'enterrer, Débauche aux bras
O Mort, quand viendras-tu, sa rivale en attraits,
14 Sur ses myrtes infects enter tes noirs cyprès ?

CXIII. — LA FONTAINE DE SANG

Il me semble parfois que mon sang coule à flots,
Ainsi qu'une fontaine aux rythmiques sanglots.
Je l'entends bien qui coule avec un long murmure,
4 Mais je me tâte en vain pour trouver la blessure.

A travers la cité, comme dans un champ clos,
Il s'en va, transformant les pavés en îlots,
Désaltérant la soif de chaque créature,
8 Et partout colorant en rouge la nature.

J'ai demandé souvent à des vins captieux
D'endormir pour un jour la terreur qui me mine;
11 Le vin rend l'œil plus clair et l'oreille plus fine !

J'ai cherché dans l'amour un sommeil oublieux;
Mais l'amour n'est pour moi qu'un matelas d'aiguilles
14 Fait pour donner à boire à ces cruelles filles !

CXIV. — ALLÉGORIE

C'est une femme belle et de riche encolure,
Qui laisse dans son vin traîner sa chevelure.
Les griffes de l'amour, les poisons du tripot,
Tout glisse et tout s'émousse au granit de sa peau.
5 Elle rit à la Mort et nargue la Débauche,
Ces monstres dont la main, qui toujours gratte et [fauche,
Dans ses jeux destructeurs a pourtant respecté
De ce corps ferme et droit la rude majesté.
Elle marche en déesse et repose en sultane;
10 Elle a dans le plaisir la foi mahométane,
Et dans ses bras ouverts, que remplissent ses seins,
Elle appelle des yeux la race des humains.

Elle croit, elle sait, cette vierge inféconde
Et pourtant nécessaire à la marche du monde,
15 Que la beauté du corps est un sublime don
Qui de toute infamie arrache le pardon.
Elle ignore l'Enfer comme le Purgatoire,
Et quand l'heure viendra d'entrer dans la Nuit noire,
Elle regardera la face de la Mort,
20 Ainsi qu'un nouveau-né, — sans haine et sans remord.

CXV. — LA BÉATRICE

Dans des terrains cendreux, calcinés, sans verdure,
Comme je me plaignais un jour à la nature,
Et que de ma pensée, en vaguant au hasard,
J'aiguisais lentement sur mon cœur le poignard,
5 Je vis en plein midi descendre sur ma tête
Un nuage funèbre et gros d'une tempête,
Qui portait un troupeau de démons vicieux,
Semblables à des nains cruels et curieux.
A me considérer froidement ils se mirent,
10 Et, comme des passants sur un fou qu'ils admirent,
Je les entendis rire et chuchoter entre eux,
En échangeant maint signe et maint clignement
[d'yeux :
— « Contemplons à loisir cette caricature
Et cette ombre d'Hamlet imitant sa posture,
15 Le regard indécis et les cheveux au vent.
N'est-ce pas grand'pitié de voir ce bon vivant,
Ce gueux, cet histrion en vacances, ce drôle,
Parce qu'il sait jouer artistement son rôle,
Vouloir intéresser au chant de ses douleurs
20 Les aigles, les grillons, les ruisseaux et les fleurs,
Et même à nous, auteurs de ces vieilles rubriques,
Réciter en hurlant ses tirades publiques ? »

J'aurais pu (mon orgueil aussi haut que les monts
Domine la nuée et le cri des démons)
25 Détourner simplement ma tête souveraine,
Si je n'eusse pas vu parmi leur troupe obscène,

Crime qui n'a pas fait chanceler le soleil !
La reine de mon cœur au regard nonpareil,
Qui riait avec eux de ma sombre détresse
30 Et leur versait parfois quelque sale caresse.

CXVI. — UN VOYAGE A CYTHÈRE

Mon cœur, comme un oiseau, voltigeait tout joyeux
Et planait librement à l'entour des cordages;
Le navire roulait sous un ciel sans nuages,
4 Comme un ange enivré d'un soleil radieux.

Quelle est cette île triste et noire ? — C'est Cythère,
Nous dit-on, un pays fameux dans les chansons,
Eldorado banal de tous les vieux garçons.
8 Regardez, après tout, c'est une pauvre terre.

— Ile des doux secrets et des fêtes du cœur !
De l'antique Vénus le superbe fantôme
Au-dessus de tes mers plane comme un arome,
12 Et charge les esprits d'amour et de langueur.

Belle île aux myrtes verts, pleine de fleurs écloses,
Vénérée à jamais par toute nation,
Où les soupirs des cœurs en adoration
16 Roulent comme l'encens sur un jardin de roses

Ou le roucoulement éternel d'un ramier !
— Cythère n'était plus qu'un terrain des plus maigres,
Un désert rocailleux troublé par des cris aigres.
20 J'entrevoyais pourtant un objet singulier !

Ce n'était pas un temple aux ombres bocagères,
Où la jeune prêtresse, amoureuse des fleurs,
Allait, le corps brûlé de secrètes chaleurs,
24 Entre-bâillant sa robe aux brises passagères;

Mais voilà qu'en rasant la côte d'assez près
Pour troubler les oiseaux avec nos voiles blanches,

Nous vîmes que c'était un gibet à trois branches,
28 Du ciel se détachant en noir, comme un cyprès.

De féroces oiseaux perchés sur leur pâture
Détruisaient avec rage un pendu déjà mûr,
Chacun plantant, comme un outil, son bec impur
32 Dans tous les coins saignants de cette pourriture;

Les yeux étaient deux trous, et du ventre effondré
Les intestins pesants lui coulaient sur les cuisses,
Et ses bourreaux, gorgés de hideuses délices,
36 L'avaient à coups de bec absolument châtré.

Sous les pieds, un troupeau de jaloux quadrupèdes,
Le museau relevé, tournoyait et rôdait;
Une plus grande bête au milieu s'agitait
40 Comme un exécuteur entouré de ses aides.

Habitant de Cythère, enfant d'un ciel si beau,
Silencieusement tu souffrais ces insultes
En expiation de tes infâmes cultes
44 Et des péchés qui t'ont interdit le tombeau.

Ridicule pendu, tes douleurs sont les miennes !
Je sentis, à l'aspect de tes membres flottants,
Comme un vomissement, remonter vers mes dents
48 Le long fleuve de fiel des douleurs anciennes,

Devant toi, pauvre diable au souvenir si cher,
J'ai senti tous les becs et toutes les mâchoires
Des corbeaux lancinants et des panthères noires
52 Qui jadis aimaient tant à triturer ma chair.

— Le ciel était charmant, la mer était unie;
Pour moi tout était noir et sanglant désormais,
Hélas ! et j'avais, comme en un suaire épais,
56 Le cœur enseveli dans cette allégorie.

Dans ton île, ô Vénus ! je n'ai trouvé debout
Qu'un gibet symbolique où pendait mon image...
— Ah ! Seigneur ! donnez-moi la force et le courage
60 De contempler mon cœur et mon corps sans dégoût !

CXVII. — L'AMOUR ET LE CRANE

VIEUX CUL-DE-LAMPE

L'Amour est assis sur le crâne
De l'Humanité,
Et sur ce trône le profane,
4 Au rire effronté,

Souffle gaiement des bulles rondes
Qui montent dans l'air,
Comme pour rejoindre les mondes
8 Au fond de l'éther.

Le globe lumineux et frêle
Prend un grand essor,
Crève et crache son âme grêle
12 Comme un songe d'or.

J'entends le crâne à chaque bulle
Prier et gémir :
— « Ce jeu féroce et ridicule,
16 Quand doit-il finir ?

Car ce que ta bouche cruelle
Éparpille en l'air,
Monstre assassin, c'est ma cervelle,
20 Mon sang et ma chair ! »

RÉVOLTE

CXVIII. — LE RENIEMENT DE SAINT PIERRE

Qu'est-ce que Dieu fait donc de ce flot d'anathèmes
Qui monte tous les jours vers ses chers Séraphins ?
Comme un tyran gorgé de viande et de vins,
4 Il s'endort au doux bruit de nos affreux blasphèmes.

Les sanglots des martyrs et des suppliciés
Sont une symphonie enivrante sans doute,
Puisque, malgré le sang que leur volupté coûte,
8 Les cieux ne s'en sont point encore rassasiés !

— Ah ! Jésus, souviens-toi du Jardin des Olives !
Dans ta simplicité tu priais à genoux
Celui qui dans son ciel riait au bruit des clous
12 Que d'ignobles bourreaux plantaient dans tes chairs
[vives,
Lorsque tu vis cracher sur ta divinité
La crapule du corps de garde et des cuisines,
Et lorsque tu sentis s'enfoncer les épines
16 Dans ton crâne où vivait l'immense Humanité ;

Quand de ton corps brisé la pesanteur horrible
Allongeait tes deux bras distendus, que ton sang
Et ta sueur coulaient de ton front pâlissant,
20 Quand tu fus devant tous posé comme une cible,

Rêvais-tu de ces jours si brillants et si beaux
Où tu vins pour remplir l'éternelle promesse,
Où tu foulais, monté sur une douce ânesse,
24 Des chemins tout jonchés de fleurs et de rameaux,

Où, le cœur tout gonflé d'espoir et de vaillance,
Tu fouettais tous ces vils marchands à tour de bras,
Où tu fus maître enfin ? Le remords n'a-t-il pas
28 Pénétré dans ton flanc plus avant que la lance ?

— Certes, je sortirai, quant à moi, satisfait
D'un monde où l'action n'est pas la sœur du rêve ;

Puissé-je user du glaive et périr par le glaive !
32 Saint Pierre a renié Jésus... il a bien fait.

CXIX. — ABEL ET CAÏN

I

Race d'Abel, dors, bois et mange;
2 Dieu te sourit complaisamment.

Race de Caïn, dans la fange
4 Rampe et meurs misérablement.

Race d'Abel, ton sacrifice
6 Flatte le nez du Séraphin !

Race de Caïn, ton supplice
8 Aura-t-il jamais une fin ?

Race d'Abel, vois tes semailles
10 Et ton bétail venir à bien;

Race de Caïn, tes entrailles
12 Hurlent la faim comme un vieux chien.

Race d'Abel, chauffe ton ventre
14 A ton foyer patriarcal;

Race de Caïn, dans ton antre
16 Tremble de froid, pauvre chacal !

Race d'Abel, aime et pullule !
18 Ton or fait aussi des petits.

Race de Caïn, cœur qui brûle,
20 Prends garde à ces grands appétits.

Race d'Abel, tu crois et broutes
22 Comme les punaises des bois !

Race de Caïn, sur les routes
24 Traîne ta famille aux abois.

II

Ah ! race d'Abel, ta charogne
26 Engraissera le sol fumant !

Race de Caïn, ta besogne
28 N'est pas faite suffisamment;

Race d'Abel, voici ta honte :
30 Le fer est vaincu par l'épieu !

Race de Caïn, au ciel monte
32 Et sur la terre jette Dieu !

CXX. — LES LITANIES DE SATAN

O toi, le plus savant et le plus beau des Anges,
Dieu trahi par le sort et privé de louanges,

3 O Satan, prends pitié de ma longue misère !

O Prince de l'exil, à qui l'on a fait tort,
Et qui, vaincu, toujours te redresses plus fort,

6 O Satan, prends pitié de ma longue misère !

Toi qui sais tout, grand roi des choses souterraines,
Guérisseur familier des angoisses humaines,

9 O Satan, prends pitié de ma longue misère !

Toi qui, même aux lépreux, aux parias maudits,
Enseignes par l'amour le goût du Paradis,

12 O Satan, prends pitié de ma longue misère !

O toi qui de la Mort, ta vieille et forte amante,
Engendras l'Espérance, — une folle charmante !

15 O Satan, prends pitié de ma longue misère !

Toi qui fais au proscrit ce regard calme et haut
Qui damne tout un peuple autour d'un échafaud.

18 O Satan, prends pitié de ma longue misère !

Toi qui sais en quels coins des terres envieuses
Le Dieu jaloux cacha les pierres précieuses,

21 O Satan, prends pitié de ma longue misère !

Toi dont l'œil clair connaît les profonds arsenaux
Où dort enseveli le peuple des métaux,

24 O Satan, prends pitié de ma longue misère !

Toi dont la large main cache les précipices
Au somnambule errant au bord des édifices,

27 O Satan, prends pitié de ma longue misère !

Toi qui, magiquement, assouplis les vieux os
De l'ivrogne attardé foulé par les chevaux,

30 O Satan, prends pitié de ma longue misère !

Toi qui, pour consoler l'homme frêle qui souffre,
Nous appris à mêler le salpêtre et le soufre,

33 O Satan, prends pitié de ma longue misère !

Toi qui poses ta marque, ô complice subtil,
Sur le front du Crésus impitoyable et vil,

36 O Satan, prends pitié de ma longue misère !

Toi qui mets dans les yeux et dans le cœur des filles
Le culte de la plaie et l'amour des guenilles,

39 O Satan, prends pitié de ma longue misère !

Bâton des exilés, lampe des inventeurs,
Confesseur des pendus et des conspirateurs,

42 O Satan, prends pitié de ma longue misère !

Père adoptif de ceux qu'en sa noire colère
Du paradis terrestre a chassés Dieu le Père,

45 O Satan, prends pitié de ma longue misère !

PRIÈRE

Gloire et louange à toi, Satan, dans les hauteurs
Du Ciel, où tu régnas, et dans les profondeurs
De l'Enfer, où, vaincu, tu rêves en silence !
Fais que mon âme un jour, sous l'Arbre de Science,
50 Près de toi se repose, à l'heure où sur ton front
Comme un Temple nouveau ses rameaux s'épandront !

LA MORT

CXXI. — LA MORT DES AMANTS

Nous aurons des lits pleins d'odeurs légères,
Des divans profonds comme des tombeaux,
Et d'étranges fleurs sur des étagères,
4 Ecloses pour nous sous des cieux plus beaux.

Usant à l'envi leurs chaleurs dernières,
Nos deux cœurs seront deux vastes flambeaux,
Qui réfléchiront leurs doubles lumières
8 Dans nos deux esprits, ces miroirs jumeaux.

Un soir fait de rose et de bleu mystique,
Nous échangerons un éclair unique,
11 Comme un long sanglot, tout chargé d'adieux;

Et plus tard un Ange entr'ouvrant les portes
Viendra ranimer, fidèle et joyeux,
14 Les miroirs ternis et les flammes mortes.

CXXII. — LA MORT DES PAUVRES

C'est la Mort qui console, hélas! et qui fait vivre;
C'est le but de la vie, et c'est le seul espoir
Qui, comme un élixir, nous monte et nous enivre,
4 Et nous donne le cœur de marcher jusqu'au soir;

A travers la tempête, et la neige, et le givre,
C'est la clarté vibrante à notre horizon noir;
C'est l'auberge fameuse inscrite sur le livre,
8 Où l'on pourra manger, et dormir, et s'asseoir;

C'est un Ange qui tient dans ses doigts magnétiques
Le sommeil et le don des rêves extatiques,
11 Et qui refait le lit des gens pauvres et nus;

C'est la gloire des Dieux, c'est le grenier mystique,
C'est la bourse du pauvre et sa patrie antique,
14 C'est le portique ouvert sur les Cieux inconnus !

CXXIII. — LA MORT DES ARTISTES

Combien faut-il de fois secouer mes grelots
Et baiser ton front bas, morne caricature ?
Pour piquer dans le but, de mystique nature,
4 Combien, ô mon carquois, perdre de javelots ?

Nous userons notre âme en de subtils complots,
Et nous démolirons mainte lourde armature,
Avant de contempler la grande Créature
8 Dont l'infernal désir nous remplit de sanglots !

Il en est qui jamais n'ont connu leur Idole,
Et ces sculpteurs damnés et marqués d'un affront,
11 Qui vont se martelant la poitrine et le front,

N'ont qu'un espoir, étrange et sombre Capitole !
C'est que la Mort, planant comme un soleil nouveau,
14 Fera s'épanouir les fleurs de leur cerveau !

CXXIV. — LA FIN DE LA JOURNÉE

Sous une lumière blafarde
Court, danse et se tord sans raison
La Vie, impudente et criarde.
4 Aussi, sitôt qu'à l'horizon

La nuit voluptueuse monte,
Apaisant tout, même la faim,
Effaçant tout, même la honte,
8 Le Poète se dit : « Enfin !

Mon esprit, comme mes vertèbres,
Invoque ardemment le repos;
11 Le cœur plein de songes funèbres,

Je vais me coucher sur le dos
Et me rouler dans vos rideaux,
14 O rafraîchissantes ténèbres ! »

CXXV. — LE RÊVE D'UN CURIEUX

A F. N.

Connais-tu, comme moi, la douleur savoureuse,
Et de toi fais-tu dire : « Oh ! l'homme singulier ! »
— J'allais mourir. C'était dans mon âme amoureuse,
4 Désir mêlé d'horreur, un mal particulier;

Angoisse et vif espoir, sans humeur factieuse.
Plus allait se vidant le fatal sablier,
Plus ma torture était âpre et délicieuse;
8 Tout mon cœur s'arrachait au monde familier.

J'étais comme l'enfant avide du spectacle,
Haïssant le rideau comme on hait un obstacle...
11 Enfin la vérité froide se révéla :

J'étais mort sans surprise, et la terrible aurore
M'enveloppait. — Eh quoi ! n'est-ce donc que cela?
14 La toile était levée et j'attendais encore.

CXXVI. — LE VOYAGE

A MAXIME DU CAMP

I

Pour l'enfant, amoureux de cartes et d'estampes,
L'univers est égal à son vaste appétit.

Ah ! que le monde est grand à la clarté des lampes !
4 Aux yeux du souvenir que le monde est petit !

Un matin nous partons, le cerveau plein de flamme,
Le cœur gros de rancune et de désirs amers,
Et nous allons, suivant le rythme de la lame,
8 Berçant notre infini sur le fini des mers :

Les uns, joyeux de fuir une patrie infâme;
D'autres, l'horreur de leurs berceaux, et quelques-uns,
Astrologues noyés dans les yeux d'une femme,
12 La Circé tyrannique aux dangereux parfums.

Pour n'être pas changés en bêtes, ils s'enivrent
D'espace et de lumière et de cieux embrasés;
La glace qui les mord, les soleils qui les cuivrent,
16 Effacent lentement la marque des baisers.

Mais les vrais voyageurs sont ceux-là seuls qui partent
Pour partir; cœurs légers, semblables aux ballons,
De leur fatalité jamais ils ne s'écartent,
20 Et, sans savoir pourquoi, disent toujours : Allons !

Ceux-là dont les désirs ont la forme des nues,
Et qui rêvent, ainsi qu'un conscrit le canon,
De vastes voluptés, changeantes, inconnues,
24 Et dont l'esprit humain n'a jamais su le nom !

II

Nous imitons, horreur ! la toupie et la boule
Dans leur valse et leurs bonds; même dans nos som-
La Curiosité nous tourmente et nous roule, [meils
28 Comme un Ange cruel qui fouette des soleils.

Singulière fortune où le but se déplace,
Et, n'étant nulle part, peut être n'importe où !
Où l'Homme, dont jamais l'espérance n'est lasse,
32 Pour trouver le repos court toujours comme un fou !

Notre âme est un trois-mâts cherchant son Icarie;
Une voix retentit sur le pont : « Ouvre l'œil ! »
Une voix de la hune, ardente et folle, crie :
36 « Amour... gloire... bonheur ! » Enfer ! c'est un écueil !

Chaque îlot signalé par l'homme de vigie
Est un Eldorado promis par le Destin;
L'Imagination qui dresse son orgie
40 Ne trouve qu'un récif aux clartés du matin.

O le pauvre amoureux des pays chimériques !
Faut-il le mettre aux fers, le jeter à la mer,
Ce matelot ivrogne, inventeur d'Amériques
44 Dont le mirage rend le gouffre plus amer ?

Tel le vieux vagabond, piétinant dans la boue,
Rêve, le nez en l'air, de brillants paradis;
Son œil ensorcelé découvre une Capoue
48 Partout où la chandelle illumine un taudis.

III

Etonnants voyageurs ! quelles nobles histoires
Nous lisons dans vos yeux profonds comme les mers !
Montrez-nous les écrins de vos riches mémoires,
52 Ces bijoux merveilleux, faits d'astres et d'éthers.

Nous voulons voyager sans vapeur et sans voile !
Faites, pour égayer l'ennui de nos prisons,
Passer sur nos esprits, tendus comme une toile,
56 Vos souvenirs avec leurs cadres d'horizons.

Dites, qu'avez-vous vu ?

IV

« Nous avons vu des astres
Et des flots; nous avons vu des sables aussi;
Et, malgré bien des chocs et d'imprévus désastres,
60 Nous nous sommes souvent ennuyés, comme ici.

La gloire du soleil sur la mer violette,
La gloire des cités dans le soleil couchant,
Allumaient dans nos cœurs une ardeur inquiète
64 De plonger dans un ciel au reflet alléchant.

Les plus riches cités, les plus grands paysages,
Jamais ne contenaient l'attrait mystérieux

De ceux que le hasard fait avec les nuages,
68 Et toujours le désir nous rendait soucieux !

— La jouissance ajoute au désir de la force.
Désir, vieil arbre à qui le plaisir sert d'engrais,
Cependant que grossit et durcit ton écorce,
72 Tes branches veulent voir le soleil de plus près !

Grandiras-tu toujours, grand arbre plus vivace
Que le cyprès ? — Pourtant nous avons, avec soin,
Cueilli quelques croquis pour votre album vorace,
76 Frères qui trouvez beau tout ce qui vient de loin !

Nous avons salué des idoles à trompe;
Des trônes constellés de joyaux lumineux;
Des palais ouvragés dont la féerique pompe
80 Serait pour vos banquiers un rêve ruineux;

Des costumes qui sont pour les yeux une ivresse;
Des femmes dont les dents et les ongles sont teints,
Et des jongleurs savants que le serpent caresse. »

V

Et puis, et puis encore ?

VI

84 « O cerveaux enfantins !

Pour ne pas oublier la chose capitale,
Nous avons vu partout, et sans l'avoir cherché,
Du haut jusques en bas de l'échelle fatale,
88 Le spectacle ennuyeux de l'immortel péché :

La femme, esclave vile, orgueilleuse et stupide,
Sans rire s'adorant et s'aimant sans dégoût;
L'homme, tyran goulu, paillard, dur et cupide,
92 Esclave de l'esclave et ruisseau dans l'égout;

Le bourreau qui jouit, le martyr qui sanglote;
La fête qu'assaisonne et parfume le sang;
Le poison du pouvoir énervant le despote,
96 Et le peuple amoureux du fouet abrutissant,

Plusieurs religions semblables à la nôtre,
Toutes escaladant le ciel; la Sainteté,
Comme en un lit de plume un délicat se vautre,
100 Dans les clous et le crin cherchant la volupté;

L'Humanité bavarde, ivre de son génie,
Et, folle maintenant comme elle était jadis,
Criant à Dieu, dans sa furibonde agonie :
104 « O mon semblable, ô mon maître, je te maudis ! »

Et les moins sots, hardis amants de la Démence,
Fuyant le grand troupeau parqué par le Destin,
Et se réfugiant dans l'opium immense !
108 — Tel est du globe entier l'éternel bulletin. »

VII

Amer savoir, celui qu'on tire du voyage !
Le monde, monotone et petit, aujourd'hui,
Hier, demain, toujours, nous fait voir notre image :
112 Une oasis d'horreur dans un désert d'ennui !

Faut-il partir ? rester ? Si tu peux rester, reste;
Pars, s'il le faut. L'un court, et l'autre se tapit
Pour tromper l'ennemi vigilant et funeste,
116 Le Temps ! Il est, hélas ! des coureurs sans répit,

Comme le Juif errant et comme les apôtres,
A qui rien ne suffit, ni wagon ni vaisseau,
Pour fuir ce rétiaire infâme; il en est d'autres
120 Qui savent le tuer sans quitter leur berceau.

Lorsque enfin il mettra le pied sur notre échine,
Nous pourrons espérer et crier : En avant !
De même qu'autrefois nous partions pour la Chine,
124 Les yeux fixés au large et les cheveux au vent,

Nous nous embarquerons sur la mer des Ténèbres
Avec le cœur joyeux d'un jeune passager.
Entendez-vous ces voix, charmantes et funèbres,
128 Qui chantent : « Par ici ! vous qui voulez manger

Le Lotus parfumé ! c'est ici qu'on vendange
Les fruits miraculeux dont votre cœur a faim;

Venez vous enivrer de la douceur étrange
132 De cette après-midi qui n'a jamais de fin? »

A l'accent familier nous devinons le spectre;
Nos Pylades là-bas tendent leurs bras vers nous.
« Pour rafraîchir ton cœur nage vers ton Electre! »
136 Dit celle dont jadis nous baisions les genoux.

VIII

O Mort, vieux capitaine, il est temps! levons l'ancre!
Ce pays nous ennuie, ô Mort! Appareillons!
Si le ciel et la mer sont noirs comme de l'encre,
140 Nos cœurs que tu connais sont remplis de rayons!

Verse-nous ton poison pour qu'il nous réconforte!
Nous voulons, tant ce feu nous brûle le cerveau,
Plonger au fond du gouffre, Enfer ou Ciel, qu'im-
[porte?
144 Au fond de l'Inconnu pour trouver du *nouveau!*

LES ÉPAVES

AVERTISSEMENT DE L'ÉDITEUR

Ce recueil est composé de morceaux poétiques pour la plupart condamnés ou inédits, auxquels M. Charles Baudelaire n'a pas cru devoir faire place dans l'édition définitive des Fleurs du mal.

Cela explique son titre.

M. Charles Baudelaire a fait don, sans réserve, de ces poëmes à un ami qui juge à propos de les publier, parce qu'il se flatte de les goûter et qu'il est à un âge où l'on aime encore à faire partager ses sentiments à des amis auxquels on prête ses vertus.

L'auteur sera avisé de cette publication en même temps que les deux cent soixante lecteurs probables qui figurent à peu près — pour son éditeur bénévole — le public littéraire en France, depuis que les bêtes y ont décidément usurpé la parole sur les hommes.

I. — LE COUCHER DU SOLEIL ROMANTIQUE

Que le soleil est beau quand tout frais il se lève,
Comme une explosion nous lançant son bonjour !
— Bienheureux celui-là qui peut avec amour
4 Saluer son coucher plus glorieux qu'un rêve !

Je me souviens ! J'ai vu tout, fleur, source, sillon,
Se pâmer sous son œil comme un cœur qui palpite...
— Courons vers l'horizon, il est tard, courons vite,
8 Pour attraper au moins un oblique rayon !

Mais je poursuis en vain le Dieu qui se retire;
L'irrésistible Nuit établit son empire,
11 Noire, humide, funeste et pleine de frissons;

Une odeur de tombeau dans les ténèbres nage,
Et mon pied peureux froisse, au bord du marécage,
14 Des crapauds imprévus et de froids limaçons *.

* Le mot : *Genus irritabile vatum* date de bien des siècles avant les querelles des Classiques, des Romantiques, des Réalistes, des Euphuistes, etc. Il est évident que, par *l'Irrésistible Nuit*, M. Charles Baudelaire a voulu caractériser l'état actuel de la littérature, et que les *crapauds imprévus* et les *froids limaçons* sont les écrivains qui ne sont pas de son école.
Ce sonnet a été composé en 1862, pour servir d'épilogue à un livre de M. Charles Asselineau, qui n'a pas paru : *Mélanges tirés d'une petite bibliothèque romantique;* lequel devait avoir pour prologue un sonnet de M. Théodore de Banville : *Le Lever du soleil romantique. (Note de l'éditeur.)*

PIÈCES CONDAMNÉES
TIRÉES DES
FLEURS DU MAL

II. — LESBOS*

Mère des jeux latins et des voluptés grecques,
Lesbos, où les baisers, languissants ou joyeux,
Chauds comme les soleils, frais comme les pastèques,
Font l'ornement des nuits et des jours glorieux,
5 Mère des jeux latins et des voluptés grecques,

Lesbos, où les baisers sont comme les cascades
Qui se jettent sans peur dans les gouffres sans fonds
Et courent, sanglotant et gloussant par saccades,
Orageux et secrets, fourmillants et profonds;
10 Lesbos, où les baisers sont comme les cascades !

Lesbos, où les Phrynés l'une l'autre s'attirent,
Où jamais un soupir ne resta sans écho,
A l'égal de Paphos les étoiles t'admirent,
Et Vénus à bon droit peut jalouser Sapho !
15 Lesbos, où les Phrynés l'une l'autre s'attirent,

Lesbos, terre des nuits chaudes et langoureuses,
Qui font qu'à leurs miroirs, stérile volupté !
Les filles aux yeux creux, de leur corps amoureuses,
Caressent les fruits mûrs de leur nubilité;
20 Lesbos, terre des nuits chaudes et langoureuses,

Laisse du vieux Platon se froncer l'œil austère;
Tu tires ton pardon de l'excès des baisers,

* Cette pièce et les cinq suivantes ont été condamnées en 1857 par le tribunal correctionnel et ne peuvent pas être reproduites dans le recueil des FLEURS DU MAL. *(Note de l'éditeur.)*

Reine du doux empire, aimable et noble terre,
Et des raffinements toujours inépuisés.
25 Laisse du vieux Platon se froncer l'œil austère.

Tu tires ton pardon de l'éternel martyre,
Infligé sans relâche aux cœurs ambitieux,
Qu'attire loin de nous le radieux sourire
Entrevu vaguement au bord des autres cieux !
30 Tu tires ton pardon de l'éternel martyre !

Qui des Dieux osera, Lesbos, être ton juge
Et condamner ton front pâli dans les travaux,
Si ses balances d'or n'ont pesé le déluge
De larmes qu'à la mer ont versé tes ruisseaux ?
35 Qui des Dieux osera, Lesbos, être ton juge ?

Que nous veulent les lois du juste et de l'injuste ?
Vierges au cœur sublime, honneur de l'Archipel,
Votre religion comme une autre est auguste,
Et l'amour se rira de l'Enfer et du Ciel !
40 Que nous veulent les lois du juste et de l'injuste ?

Car Lesbos entre tous m'a choisi sur la terre
Pour chanter le secret de ses vierges en fleurs,
Et je fus dès l'enfance admis au noir mystère
Des rires effrénés mêlés aux sombres pleurs ;
45 Car Lesbos entre tous m'a choisi sur la terre.

Et depuis lors je veille au sommet de Leucate,
Comme une sentinelle à l'œil perçant et sûr,
Qui guette nuit et jour brick, tartane ou frégate,
Dont les formes au loin frissonnent dans l'azur ;
50 Et depuis lors je veille au sommet de Leucate,

Pour savoir si la mer est indulgente et bonne,
Et parmi les sanglots dont le roc retentit
Un soir ramènera vers Lesbos, qui pardonne,
Le cadavre adoré de Sapho, qui partit
55 Pour savoir si la mer est indulgente et bonne !

De la mâle Sapho, l'amante et le poète,
Plus belle que Vénus par ses mornes pâleurs !
— L'œil d'azur est vaincu par l'œil noir que tachète
Le cercle ténébreux tracé par les douleurs
60 De la mâle Sapho, l'amante et le poète !

— Plus belle que Vénus se dressant sur le monde
Et versant les trésors de sa sérénité
Et le rayonnement de sa jeunesse blonde
Sur le vieil Océan de sa fille enchanté;
65 Plus belle que Vénus se dressant sur le monde!

— De Sapho qui mourut le jour de son blasphème,
Quand, insultant le rite et le culte inventé,
Elle fit son beau corps la pâture suprême
D'un brutal dont l'orgueil punit l'impiété
70 De celle qui mourut le jour de son blasphème.

Et c'est depuis ce temps que Lesbos se lamente,
Et, malgré les honneurs que lui rend l'univers,
S'enivre chaque nuit du cri de la tourmente
Que poussent vers les cieux ses rivages déserts.
75 Et c'est depuis ce temps que Lesbos se lamente!

III. — FEMMES DAMNÉES

DELPHINE ET HIPPOLYTE

A la pâle clarté des lampes languissantes,
Sur de profonds coussins tout imprégnés d'odeur,
Hippolyte rêvait aux caresses puissantes
4 Qui levaient le rideau de sa jeune candeur.

Elle cherchait, d'un œil troublé par la tempête,
De sa naïveté le ciel déjà lointain,
Ainsi qu'un voyageur qui retourne la tête
8 Vers les horizons bleus dépassés le matin.

De ses yeux amortis les paresseuses larmes,
L'air brisé, la stupeur, la morne volupté,
Ses bras vaincus, jetés comme de vaines armes,
12 Tout servait, tout parait sa fragile beauté.

Etendue à ses pieds, calme et pleine de joie,
Delphine la couvait avec des yeux ardents,
Comme un animal fort qui surveille une proie,
16 Après l'avoir d'abord marquée avec les dents.

Beauté forte à genoux devant la beauté frêle,
Superbe, elle humait voluptueusement
Le vin de son triomphe, et s'allongeait vers elle,
20 Comme pour recueillir un doux remerciement.

Elle cherchait dans l'œil de sa pâle victime
Le cantique muet que chante le plaisir,
Et cette gratitude infinie et sublime
24 Qui sort de la paupière ainsi qu'un long soupir.

— « Hippolyte, cher cœur, que dis-tu de ces choses ?
Comprends-tu maintenant qu'il ne faut pas offrir
L'holocauste sacré de tes premières roses
28 Aux souffles violents qui pourraient les flétrir ?

Mes baisers sont légers comme ces éphémères
Qui caressent le soir les grands lacs transparents,
Et ceux de ton amant creuseront leurs ornières
32 Comme des chariots ou des socs déchirants ;

Ils passeront sur toi comme un lourd attelage
De chevaux et de bœufs aux sabots sans pitié...
Hippolyte, ô ma sœur ! tourne donc ton visage,
36 Toi, mon âme et mon cœur, mon tout et ma moitié,

Tourne vers moi tes yeux pleins d'azur et d'étoiles !
Pour un de ces regards charmants, baume divin,
Des plaisirs plus obscurs je lèverai les voiles,
40 Et je t'endormirai dans un rêve sans fin ! »

Mais Hippolyte alors, levant sa jeune tête :
— « Je ne suis point ingrate et ne me repens pas,
Ma Delphine, je souffre et je suis inquiète,
44 Comme après un nocturne et terrible repas.

Je sens fondre sur moi de lourdes épouvantes
Et de noirs bataillons de fantômes épars,
Qui veulent me conduire en des routes mouvantes
48 Qu'un horizon sanglant ferme de toutes parts.

Avons-nous donc commis une action étrange ?
Explique, si tu peux, mon trouble et mon effroi :
Je frissonne de peur quand tu me dis : « Mon ange ! »
52 Et cependant je sens ma bouche aller vers toi.

Ne me regarde pas ainsi, toi, ma pensée !
Toi que j'aime à jamais, ma sœur d'élection,
Quand même tu serais une embûche dressée
56 Et le commencement de ma perdition ! »

Delphine secouant sa crinière tragique,
Et comme trépignant sur le trépied de fer,
L'œil fatal, répondit d'une voix despotique :
60 — « Qui donc devant l'amour ose parler d'enfer ?

Maudit soit à jamais le rêveur inutile
Qui voulut le premier, dans sa stupidité,
S'éprenant d'un problème insoluble et stérile,
64 Aux choses de l'amour mêler l'honnêteté !

Celui qui veut unir dans un accord mystique
L'ombre avec la chaleur, la nuit avec le jour,
Ne chauffera jamais son corps paralytique
68 A ce rouge soleil que l'on nomme l'amour !

Va, si tu veux, chercher un fiancé stupide;
Cours offrir un cœur vierge à ses cruels baisers;
Et, pleine de remords et d'horreur, et livide,
72 Tu me rapporteras tes seins stigmatisés...

On ne peut ici-bas contenter qu'un seul maître ! »
Mais l'enfant, épanchant une immense douleur,
Cria soudain : — « Je sens s'élargir dans mon être
76 Un abîme béant; cet abîme est mon cœur !

Brûlant comme un volcan, profond comme le vide !
Rien ne rassasiera ce monstre gémissant
Et ne rafraîchira la soif de l'Euménide
80 Qui, la torche à la main, le brûle jusqu'au sang.

Que nos rideaux fermés nous séparent du monde,
Et que la lassitude amène le repos !
Je veux m'anéantir dans ta gorge profonde,
84 Et trouver sur ton sein la fraîcheur des tombeaux ! »

— Descendez, descendez, lamentables victimes,
Descendez le chemin de l'enfer éternel !
Plongez au plus profond du gouffre, où tous les crimes,
88 Flagellés par un vent qui ne vient pas du ciel,

Bouillonnent pêle-mêle avec un bruit d'orage.
Ombres folles, courez au but de vos désirs;
Jamais vous ne pourrez assouvir votre rage,
92 Et votre châtiment naîtra de vos plaisirs.

Jamais un rayon frais n'éclaira vos cavernes;
Par les fentes des murs des miasmes fiévreux
Filtrent en s'enflammant ainsi que des lanternes
96 Et pénètrent vos corps de leurs parfums affreux.

L'âpre stérilité de votre jouissance
Altère votre soif et roidit votre peau,
Et le vent furibond de la concupiscence
100 Fait claquer votre chair ainsi qu'un vieux drapeau.

Loin des peuples vivants, errantes, condamnées,
A travers les déserts courez comme les loups;
Faites votre destin, âmes désordonnées,
104 Et fuyez l'infini que vous portez en vous !

IV. — LE LÉTHÉ

Viens sur mon cœur, âme cruelle et sourde,
Tigre adoré, monstre aux airs indolents;
Je veux longtemps plonger mes doigts tremblants
4 Dans l'épaisseur de ta crinière lourde;

Dans tes jupons remplis de ton parfum
Ensevelir ma tête endolorie,
Et respirer, comme une fleur flétrie,
8 Le doux relent de mon amour défunt.

Je veux dormir ! dormir plutôt que vivre !
Dans un sommeil aussi doux que la mort,
J'étalerai mes baisers sans remord
12 Sur ton beau corps poli comme le cuivre.

Pour engloutir mes sanglots apaisés
Rien ne me vaut l'abîme de ta couche;
L'oubli puissant habite sur ta bouche,
16 Et le Léthé coule dans tes baisers.

A mon destin, désormais mon délice,
J'obéirai comme un prédestiné;
Martyr docile, innocent condamné,
20 Dont la ferveur attise le supplice,

Je sucerai, pour noyer ma rancœur,
Le népenthès et la bonne ciguë
Aux bouts charmants de cette gorge aiguë
24 Qui n'a jamais emprisonné de cœur.

V. — A CELLE QUI EST TROP GAIE

Ta tête, ton geste, ton air
Sont beaux comme un beau paysage;
Le rire joue en ton visage
4 Comme un vent frais dans un ciel clair.

Le passant chagrin que tu frôles
Est ébloui par la santé
Qui jaillit comme une clarté
8 De tes bras et de tes épaules.

Les retentissantes couleurs
Dont tu parsèmes tes toilettes
Jettent dans l'esprit des poètes
12 L'image d'un ballet de fleurs.

Ces robes folles sont l'emblème
De ton esprit bariolé;
Folle dont je suis affolé,
16 Je te hais autant que je t'aime !

Quelquefois dans un beau jardin
Où je traînais mon atonie,
J'ai senti, comme une ironie,
20 Le soleil déchirer mon sein,

Et le printemps et la verdure
Ont tant humilié mon cœur,
Que j'ai puni sur une fleur
24 L'insolence de la Nature.

Ainsi je voudrais, une nuit,
Quand l'heure des voluptés sonne,
Vers les trésors de ta personne,
28 Comme un lâche, ramper sans bruit,

Pour châtier ta chair joyeuse,
Pour meurtrir ton sein pardonné,
Et faire à ton flanc étonné
32 Une blessure large et creuse,

Et, vertigineuse douceur !
A travers ces lèvres nouvelles,
Plus éclatantes et plus belles,
36 T'infuser mon venin, ma sœur* !

VI. — LES BIJOUX

La très chère était nue, et, connaissant mon cœur,
Elle n'avait gardé que ses bijoux sonores,
Dont le riche attirail lui donnait l'air vainqueur
4 Qu'ont dans leurs jours heureux les esclaves des [Mores.

Quand il jette en dansant son bruit vif et moqueur,
Ce monde rayonnant de métal et de pierre
Me ravit en extase, et j'aime à la fureur
8 Les choses où le son se mêle à la lumière.

Elle était donc couchée et se laissait aimer,
Et du haut du divan elle souriait d'aise
A mon amour profond et doux comme la mer,
12 Qui vers elle montait comme vers sa falaise.

* Les juges ont cru découvrir un sens à la fois sanguinaire et obscène dans les deux dernières stances. La gravité du recueil excluait de pareilles *plaisanteries*. Mais *venin*, signifiant spleen ou mélancolie, était une idée trop simple pour des criminalistes.
Que leur interprétation syphilitique leur reste sur la conscience! *(Note de l'éditeur.)*

Les yeux fixés sur moi, comme un tigre dompté,
D'un air vague et rêveur elle essayait des poses,
Et la candeur unie à la lubricité
16 Donnait un charme neuf à ses métamorphoses;

Et son bras et sa jambe, et sa cuisse et ses reins,
Polis comme de l'huile, onduleux comme un cygne,
Passaient devant mes yeux clairvoyants et sereins;
20 Et son ventre et ses seins, ces grappes de ma vigne,

S'avançaient, plus câlins que les Anges du mal,
Pour troubler le repos où mon âme était mise,
Et pour la déranger du rocher de cristal
24 Où, calme et solitaire, elle s'était assise.

Je croyais voir unis par un nouveau dessin
Les hanches de l'Antiope au buste d'un imberbe,
Tant sa taille faisait ressortir son bassin.
28 Sur ce teint fauve et brun, le fard était superbe !

— Et la lampe s'étant résignée à mourir,
Comme le foyer seul illuminait la chambre,
Chaque fois qu'il poussait un flamboyant soupir,
32 Il inondait de sang cette peau couleur d'ambre !

VII. — LES MÉTAMORPHOSES DU VAMPIRE

La femme cependant, de sa bouche de fraise,
En se tordant ainsi qu'un serpent sur la braise,
Et pétrissant ses seins sur le fer de son busc,
Laissait couler ces mots tout imprégnés de musc :
5 — « Moi, j'ai la lèvre humide, et je sais la science
De perdre au fond d'un lit l'antique conscience.
Je sèche tous les pleurs sur mes seins triomphants,
Et fais rire les vieux du rire des enfants.
Je remplace, pour qui me voit nue et sans voiles,
10 La lune, le soleil, le ciel et les étoiles !
Je suis, mon cher savant, si docte aux voluptés,
Lorsque j'étouffe un homme en mes bras redoutés,

Ou lorsque j'abandonne aux morsures mon buste,
Timide et libertine, et fragile et robuste,
15 Que sur ces matelas qui se pâment d'émoi
Les anges impuissants se damneraient pour moi ! »

Quand elle eut de mes os sucé toute la moelle,
Et que languissamment je me tournai vers elle
Pour lui rendre un baiser d'amour, je ne vis plus
20 Qu'une outre aux flancs gluants, toute pleine de pus !
Je fermai les deux yeux, dans ma froide épouvante,
Et quand je les rouvris à la clarté vivante,
A mes côtés, au lieu du mannequin puissant
Qui semblait avoir fait provision de sang,
25 Tremblaient confusément des débris de squelette,
Qui d'eux-mêmes rendaient le cri d'une girouette
Ou d'une enseigne, au bout d'une tringle de fer,
Que balance le vent pendant les nuits d'hiver.

VIII. — LE JET D'EAU

Tes beaux yeux sont las, pauvre amante !
Reste longtemps, sans les rouvrir,
Dans cette pose nonchalante
4 Où t'a surprise le plaisir.
Dans la cour le jet d'eau qui jase,
Et ne se tait ni nuit ni jour,
Entretient doucement l'extase
8 Où ce soir m'a plongé l'amour.

La gerbe épanouie
En mille fleurs,
Où Phœbé réjouie
12 Met ses couleurs,
Tombe comme une pluie
De larges pleurs.

Ainsi ton âme qu'incendie
16 L'éclair brûlant des voluptés
S'élance, rapide et hardie,
Vers les vastes cieux enchantés.
Puis elle s'épanche, mourante,
20 En un flot de triste langueur,
Qui par une invisible pente
Descend jusqu'au fond de mon cœur.

La gerbe épanouie
24 En mille fleurs,
Où Phœbé réjouie
Met ses couleurs,
Tombe comme une pluie
28 De larges pleurs.

O toi, que la nuit rend si belle,
Qu'il m'est doux, penché vers tes seins,
D'écouter la plainte éternelle
32 Qui sanglote dans les bassins !

Lune, eau sonore, nuit bénie,
Arbres qui frissonnez autour,
Votre pure mélancolie
36 Est le miroir de mon amour.

La gerbe épanouie
En mille fleurs,
Où Phœbé réjouie
40 Met ses couleurs,
Tombe comme une pluie
De larges pleurs.

IX. — LES YEUX DE BERTHE

Vous pouvez mépriser les yeux les plus célèbres,
Beaux yeux de mon enfant, par où filtre et s'enfuit
Je ne sais quoi de bon, de doux comme la Nuit !
4 Beaux yeux, versez sur moi vos charmantes ténèbres !

Grands yeux de mon enfant, arcanes adorés,
Vous ressemblez beaucoup à ces grottes magiques
Où, derrière l'amas des ombres léthargiques,
8 Scintillent vaguement des trésors ignorés !

Mon enfant a des yeux obscurs, profonds et vastes
Comme toi, Nuit immense, éclairés comme toi !
Leurs feux sont ces pensers d'Amour, mêlés de Foi,
12 Qui pétillent au fond, voluptueux ou chastes.

X. — HYMNE

A la très chère, à la très belle
Qui remplit mon cœur de clarté,
A l'ange, à l'idole immortelle,
4 Salut en l'immortalité !

Elle se répand dans ma vie
Comme un air imprégné de sel,
Et dans mon âme inassouvie
8 Verse le goût de l'éternel.

Sachet toujours frais qui parfume
L'atmosphère d'un cher réduit,
Encensoir oublié qui fume
12 En secret à travers la nuit,

Comment, amour incorruptible,
T'exprimer avec vérité ?
Grain de musc qui gis, invisible,
16 Au fond de mon éternité !

A la très bonne, à la très belle
Qui fait ma joie et ma santé,
A l'ange, à l'idole immortelle,
20 Salut en l'immortalité !

XI. — LES PROMESSES D'UN VISAGE

J'aime, ô pâle beauté, tes sourcils surbaissés,
D'où semblent couler des ténèbres,
Tes yeux, quoique très noirs, m'inspirent des pensers
4 Qui ne sont pas du tout funèbres.

Tes yeux, qui sont d'accord avec tes noirs cheveux,
Avec ta crinière élastique,
Tes yeux, languissamment, me disent : « Si tu veux,
8 Amant de la muse plastique,

Suivre l'espoir qu'en toi nous avons excité,
Et tous les goûts que tu professes,
Tu pourras constater notre véracité
12 Depuis le nombril jusqu'aux fesses;

Tu trouveras, au bout de deux beaux seins bien lourds,
Deux larges médailles de bronze,

Et sous un ventre uni, doux comme du velours,
16 Bistré comme la peau d'un bonze,

Une riche toison qui, vraiment, est la sœur
De cette énorme chevelure,
Souple et frisée, et qui t'égale en épaisseur,
20 Nuit sans étoiles, Nuit obscure ! »

XII. — LE MONSTRE
OU
LE PARANYMPHE D'UNE NYMPHE MACABRE

I

Tu n'es certes pas, ma très chère,
Ce que Veuillot nomme un tendron.
Le jeu, l'amour, la bonne chère
Bouillonnent en toi, vieux chaudron !
5 Tu n'es plus fraîche, ma très chère,

Ma vieille infante ! Et cependant
Tes caravanes insensées
T'ont donné ce lustre abondant
Des choses qui sont très usées,
10 Mais qui séduisent cependant.

Je ne trouve pas monotone
La verdeur de tes quarante ans ;
Je préfère tes fruits, Automne,
Aux fleurs banales du Printemps !
15 Non, tu n'es jamais monotone !

Ta carcasse a des agréments
Et des grâces particulières ;
Je trouve d'étranges piments
Dans le creux de tes deux salières ;
20 Ta carcasse a des agréments !

Nargue des amants ridicules
Du melon et du giraumont !
Je préfère tes clavicules
A celles du roi Salomon *,
25 Et je plains ces gens ridicules !

Tes cheveux, comme un casque bleu,
Ombragent ton front de guerrière,
Qui ne pense et rougit que peu,
Et puis se sauvent par derrière,
30 Comme les crins d'un casque bleu.

Tes yeux qui semblent de la boue,
Où scintille quelque fanal,
Ravivés au fard de ta joue,
Lancent un éclair infernal !
35 Tes yeux sont noirs comme la boue !

Par sa luxure et son dédain
Ta lèvre amère nous provoque;
Cette lèvre, c'est un Éden
Qui nous attire et qui nous choque.
40 Quelle luxure ! et quel dédain !

Ta jambe musculeuse et sèche
Sait gravir au haut des volcans,
Et malgré la neige et la dèche
Danser les plus fougueux cancans **.
45 Ta jambe est musculeuse et sèche;

Ta peau brûlante et sans douceur,
Comme celle des vieux gendarmes,
Ne connaît pas plus la sueur
Que ton œil ne connaît les larmes
50 (Et pourtant elle a sa douceur !)

* Voilà un calembour salé : Nous ne *cabalerons* pas contre. *(Note de l'éditeur.)*
** Sans doute une allusion à quelque particularité des *caravanes* de cette dame. M. Prévost-Paradol l'eût avertie qu'elle dansait le cancan sur un volcan. *(Note de l'éditeur.)*

II

Sotte, tu t'en vas droit au Diable !
Volontiers j'irais avec toi,
Si cette vitesse effroyable
Ne me causait pas quelque émoi.
55 Va-t'en donc, toute seule, au Diable !

Mon rein, mon poumon, mon jarret
Ne me laissent plus rendre hommage
A ce Seigneur, comme il faudrait.
« Hélas ! c'est vraiment bien dommage ! »
60 Disent mon rein et mon jarret.

Oh ! très sincèrement je souffre
De ne pas aller aux sabbats,
Pour voir, quand il pète du soufre,
Comment tu lui baises son cas * !
65 Oh ! très sincèrement je souffre !

Je suis diablement affligé
De ne pas être ta torchère,
Et de te demander congé,
Flambeau d'enfer ! Juge, ma chère,
70 Combien je dois être affligé,

Puisque depuis longtemps je t'aime,
Etant très logique ! En effet,
Voulant du Mal chercher la crème
Et n'aimer qu'un monstre parfait,
75 Vraiment oui ! vieux monstre, je t'aime !

* A la Messe noire. Comme ces poètes sont superstitieux ! *(Note de l'éditeur.)*

XIII. — FRANCISCAE MEAE LAUDES

VERS COMPOSÉS POUR UNE MODISTE ÉRUDITE ET DÉVOTE*

Novis te cantabo chordis,
O novelletum quod ludis
3 In solitudine cordis.

Esto sertis implicata,
O femina delicata,
6 Per quam solvuntur peccata !

Sicut beneficum Lethe,
Hauriam oscula de te,
9 Quæ imbuta es magnete.

Quum vitiorum tempestas
Turbabat omnes semitas,
12 Apparuisti, Deitas,

* Le sous-titre de cette pièce, supprimé dans la seconde édition des FLEURS DU MAL, se trouve dans la première avec la drôle de note suivante : « Ne semble-t-il pas au lecteur, comme à moi, que la langue de la dernière décadence latine — suprême soupir d'une personne robuste, déjà transformée et préparée pour la vie spirituelle — est singulièrement propre à exprimer la passion, telle que l'a comprise et sentie le monde poétique moderne ? La mysticité est l'autre pôle de cet aimant dont Catulle et sa bande, poètes brutaux et purement épidermiques, n'ont connu que le pôle sensualité. Dans cette merveilleuse langue, le solécisme et le barbarisme me paraissent rendre les négligences forcées d'une passion qui s'oublie et se moque des règles. Les mots, pris dans une acception nouvelle, révèlent la maladresse charmante du barbare du Nord, agenouillé devant la beauté romaine. Le calembour lui-même, quand il traverse ces pédantesques bégaiements, ne joue-t-il pas la grâce sauvage et baroque de l'enfance ? » C. B.

Velut stella salutaris
In naufragiis amaris...
15 Suspendam cor tuis aris !

Piscina plena virtutis,
Fons æternæ juventutis,
18 Labris vocem redde mutis !

Quod erat spurcum, cremasti;
Quod rudius, exaequasti;
21 Quod debile, confirmasti.

In fame mea taberna,
In nocte mea lucerna,
24 Recte me semper guberna.

Adde nunc vires viribus,
Dulce balneum suavibus
27 Unguentatum odoribus !

Meos circa lumbos mica,
O castitatis lorica,
30 Aqua tincta seraphica;

Patera gemmis corusca,
Panis salsus, mollis esca,
33 Divinum vinum, Francisca !

XIV. — VERS POUR LE PORTRAIT DE M. HONORÉ DAUMIER *

Celui dont nous t'offrons l'image,
Et dont l'art, subtil entre tous,
Nous enseigne à rire de nous,
4 Celui-là, lecteur, est un sage.

C'est un satirique, un moqueur;
Mais l'énergie avec laquelle
Il peint le Mal et sa séquelle
8 Prouve la beauté de son cœur.

Son rire n'est pas la grimace
De Melmoth ou de Méphisto
Sous la torche de l'Alecto
12 Qui les brûle, mais qui nous glace,

Leur rire, hélas ! de la gaieté
N'est que la douloureuse charge.
Le sien rayonne, franc et large,
16 Comme un signe de sa bonté !

* Ces stances ont été faites pour un portrait de M. Daumier, gravé d'après le remarquable médaillon de M. Pascal, et reproduit dans le second volume de l'*Histoire de la Caricature* de M. Champfleury, où cet écrivain a rendu justice au caricaturiste avec la raison passionnée qui lui est habituelle. *(Note de l'éditeur.)*

XV. — LOLA DE VALENCE *

Entre tant de beautés que partout on peut voir,
Je comprends bien, amis, que le désir balance;
Mais on voit scintiller en Lola de Valence
4 Le charme inattendu d'un bijou rose et noir.

XVI. — SUR LE TASSE EN PRISON

D'EUGÈNE DELACROIX

Le poète au cachot, débraillé, maladif,
Roulant un manuscrit sous son pied convulsif,
Mesure d'un regard que la terreur enflamme
4 L'escalier de vertige où s'abîme son âme.

Les rires enivrants dont s'emplit la prison
Vers l'étrange et l'absurde invitent sa raison;
Le Doute l'environne, et la Peur ridicule,
8 Hideuse et multiforme, autour de lui circule.

* Ces vers ont été composés pour servir d'inscription à un merveilleux portrait de Mademoiselle Lola, ballerine espagnole, par M. Edouard Manet, qui, comme tous les tableaux du même peintre, a fait esclandre. — La muse de M. Charles Baudelaire est si généralement suspecte qu'il s'est trouvé des critiques d'estaminet pour dénicher un sens obscène dans le *bijou rose et noir*. Nous croyons, nous, que le poète a voulu simplement dire qu'une beauté, d'un caractère à la fois ténébreux et folâtre, faisait rêver à l'association du *rose* et du *noir*. *(Note de l'éditeur.)*

Ce génie enfermé dans un taudis malsain,
Ces grimaces, ces cris, ces spectres dont l'essaim
11 Tourbillonne, ameuté derrière son oreille,

Ce rêveur que l'horreur de son logis réveille,
Voilà bien ton emblème, Ame aux songes obscurs,
14 Que le Réel étouffe entre ses quatre murs !

PIÈCES DIVERSES

XVII. — LA VOIX

Mon berceau s'adossait à la bibliothèque,
Babel sombre, où roman, science, fabliau,
Tout, la cendre latine et la poussière grecque,
Se mêlaient. J'étais haut comme un in-folio.
5 Deux voix me parlaient. L'une, insidieuse et ferme,
Disait : « La Terre est un gâteau plein de douceur;
Je puis (et ton plaisir serait alors sans terme !)
Te faire un appétit d'une égale grosseur. »
Et l'autre : « Viens ! oh ! viens voyager dans les rêves,
10 Au delà du possible, au delà du connu ! »
Et celle-là chantait comme le vent des grèves,
Fantôme vagissant, on ne sait d'où venu,
Qui caresse l'oreille et cependant l'effraie.
Je te répondis : « Oui ! douce voix ! » C'est d'alors
15 Que date ce qu'on peut, hélas ! nommer ma plaie
Et ma fatalité. Derrière les décors
De l'existence immense, au plus noir de l'abîme,
Je vois distinctement des mondes singuliers,
Et, de ma clairvoyance extatique victime,
20 Je traîne des serpents qui mordent mes souliers.
Et c'est depuis ce temps que, pareil aux prophètes,
J'aime si tendrement le désert et la mer;
Que je ris dans les deuils et pleure dans les fêtes,
Et trouve un goût suave au vin le plus amer;
25 Que je prends très souvent les faits pour des men-
[songes,
Et que, les yeux au ciel, je tombe dans des trous.
Mais la voix me console et dit : « Garde tes songes :
Les sages n'en ont pas d'aussi beaux que les fous ! »

XVIII. — L'IMPRÉVU *

Harpagon, qui veillait son père agonisant,
Se dit, rêveur, devant ces lèvres déjà blanches :
« Nous avons au grenier un nombre suffisant,
4 Ce me semble, de vieilles planches ? »

Célimène roucoule et dit : « Mon cœur est bon,
Et naturellement, Dieu m'a faite très belle. »
— Son cœur ! cœur racorni, fumé comme un jambon,
8 Recuit à la flamme éternelle !

Un gazetier fumeux, qui se croit un flambeau,
Dit au pauvre, qu'il a noyé dans les ténèbres :
« Où donc l'aperçois-tu, ce créateur du Beau,
12 Ce Redresseur que tu célèbres ? »

Mieux que tous, je connais certain voluptueux
Qui bâille nuit et jour, et se lamente, et pleure,
Répétant, l'impuissant et le fat : « Oui, je veux
16 Etre vertueux, dans une heure ! »

L'horloge, à son tour, dit à voix basse : « Il est mûr,
Le damné ! J'avertis en vain la chair infecte.
L'homme est aveugle, sourd, fragile, comme un mur
20 Qu'habite et que ronge un insecte ! »

Et puis, Quelqu'un paraît, que tous avaient nié,
Et qui leur dit, railleur et fier : « Dans mon ciboire,
Vous avez, que je crois, assez communié
24 A la Joyeuse Messe noire ?

* Ici l'auteur des FLEURS DU MAL se tourne vers la Vie éternelle.
Ça devait finir comme ça.
Observons que, comme tous les nouveaux convertis, il se montre très rigoureux et très fanatique. *(Note de l'éditeur.)*

Chacun de vous m'a fait un temple dans son cœur;
Vous avez, en secret, baisé ma fesse immonde *!
Reconnaissez Satan à son rire vainqueur,
28 Enorme et laid comme le monde!

Avez-vous donc pu croire, hypocrites surpris,
Qu'on se moque du maître, et qu'avec lui l'on triche,
Et qu'il soit naturel de recevoir deux prix,
32 D'aller au Ciel et d'être riche?

Il faut que le gibier paye le vieux chasseur
Qui se morfond longtemps à l'affût de la proie.
Je vais vous emporter à travers l'épaisseur,
36 Compagnons de ma triste joie,

A travers l'épaisseur de la terre et du roc,
A travers les amas confus de votre cendre,
Dans un palais aussi grand que moi, d'un seul bloc,
40 Et qui n'est pas de pierre tendre;

Car il est fait avec l'universel Péché,
Et contient mon orgueil, ma douleur et ma gloire! »
— Cependant, tout en haut de l'univers juché,
44 Un ange sonne la victoire

De ceux dont le cœur dit : « Que béni soit ton fouet,
Seigneur! que la douleur, ô Père, soit bénie!
Mon âme dans tes mains n'est pas un vain jouet,
48 Et ta prudence est infinie. »

Le son de la trompette est si délicieux,
Dans ces soirs solennels de célestes vendanges,
Qu'il s'infiltre comme une extase dans tous ceux
52 Dont elle chante les louanges.

* Voir, à propos de la *messe* et de la *fesse*, *la Sorcière*, de Michelet, la *Monographie du Diable*, de Charles Louandre, le *Rituel de la haute magie*, d'Eliphas Lévi, et, en général, tous les auteurs traitant de la sorcellerie, de la démonologie et du rite diabolique. *(Note de l'éditeur.)*

XIX. — LA RANÇON

L'homme a, pour payer sa rançon,
Deux champs au tuf profond et riche,
Qu'il faut qu'il remue et défriche
4 Avec le fer de la raison;

Pour obtenir la moindre rose,
Pour extorquer quelques épis,
Des pleurs salés de son front gris
8 Sans cesse il faut qu'il les arrose.

L'un est l'Art, et l'autre l'Amour.
— Pour rendre le juge propice,
Lorsque de la stricte justice
12 Paraîtra le terrible jour,

Il faudra lui montrer des granges
Pleines de moissons, et des fleurs
Dont les formes et les couleurs
16 Gagnent le suffrage des Anges.

XX. — A UNE MALABARAISE

Tes pieds sont aussi fins que tes mains, et ta hanche
Est large à faire envie à la plus belle blanche;
A l'artiste pensif ton corps est doux et cher;
Tes grands yeux de velours sont plus noirs que ta [chair.
5 Aux pays chauds et bleus où ton Dieu t'a fait naître,
Ta tâche est d'allumer la pipe de ton maître,
De pourvoir les flacons d'eaux fraîches et d'odeurs,
De chasser loin du lit les moustiques rôdeurs,
Et, dès que le matin fait chanter les platanes,
10 D'acheter au bazar ananas et bananes.

Tout le jour, où tu veux, tu mènes tes pieds nus,
Et fredonnes tout bas de vieux airs inconnus;
Et quand descend le soir au manteau d'écarlate,
Tu poses doucement ton corps sur une natte,
15 Où tes rêves flottants sont pleins de colibris,
Et toujours, comme toi, gracieux et fleuris.

[France,
Pourquoi, l'heureuse enfant, veux-tu voir notre
Ce pays trop peuplé que fauche la souffrance,
Et, confiant ta vie aux bras forts des marins,
20 Faire de grands adieux à tes chers tamarins?
Toi, vêtue à moitié de mousselines frêles,
Frissonnante là-bas sous la neige et les grêles,
Comme tu pleurerais tes loisirs doux et francs
Si, le corset brutal emprisonnant tes flancs
25 Il te fallait glaner ton souper dans nos fanges
Et vendre le parfum de tes charmes étranges,
L'œil pensif, et suivant, dans nos sales brouillards,
Des cocotiers absents les fantômes épars!

1840.

XXI. — SUR LES DÉBUTS D'AMINA BOSCHETTI

AU THÉATRE DE LA MONNAIE, A BRUXELLES

Amina bondit, — fuit, — puis voltige et sourit;
Le Welche dit : « Tout ça, pour moi, c'est du prâcrit;
Je ne connais, en fait de nymphes bocagères,
4 Que celles de *Montagne-aux-Herbes-potagères*. »

Du bout de son pied fin, et de son œil qui rit,
Amina verse à flots le délire et l'esprit;
Le Welche dit : « Fuyez, délices mensongères !
8 Mon épouse n'a pas ces allures légères. »

Vous ignorez, sylphide au jarret triomphant,
Qui voulez enseigner la valse à l'éléphant,
11 Au hibou la gaieté, le rire à la cigogne,

Que sur la grâce en feu le Welche dit : « Haro ! »
Et que, le doux Bacchus lui versant du bourgogne,
14 Le monstre répondrait : « J'aime mieux le faro ! »

1864.

XXII. — A M. EUGÈNE FROMENTIN A PROPOS D'UN IMPORTUN

QUI SE DISAIT SON AMI

Il me dit qu'il était très riche,
Mais qu'il craignait le choléra;
— Que de son or il était chiche,
4 Mais qu'il goûtait fort l'Opéra;

— Qu'il raffolait de la nature,
Ayant connu monsieur Corot;
— Qu'il n'avait pas encor voiture,
8 Mais que cela viendrait bientôt;

— Qu'il aimait le marbre et la brique,
Les bois noirs et les bois dorés;
— Qu'il possédait dans sa fabrique
12 Trois contremaîtres décorés;

— Qu'il avait, sans compter le reste,
Vingt mille actions sur le *Nord ;*
Qu'il avait trouvé, pour un zeste,
16 Des encadrements d'Oppenord;

Qu'il donnerait (fût-ce à Luzarches !)
Dans le bric-à-brac jusqu'au cou,
Et qu'au Marché des Patriarches
20 Il avait fait plus d'un bon coup;

Qu'il n'aimait pas beaucoup sa femme,
Ni sa mère; — mais qu'il croyait
A l'immortalité de l'âme,
24 Et qu'il avait lu Niboyet * !

* Nous ne savons ce que vient faire ici M. Niboyet; mais M. Baudelaire n'étant pas un esclave de la rime, nous devons supposer que l'*importun* s'est vanté d'avoir lu les œuvres de M. Niboyet, comme ayant tous les courages. *(Note de l'éditeur.)*

— Qu'il penchait pour l'amour physique,
Et qu'à Rome, séjour d'ennui,
Une femme, d'ailleurs phtisique,
28 Etait morte d'amour pour lui.

Pendant trois heures et demie,
Ce bavard, venu de Tournai,
M'a dégoisé toute sa vie;
32 J'en ai le cerveau consterné.

S'il fallait décrire ma peine,
Ce serait à n'en plus finir;
Je me disais, domptant ma haine :
36 « Au moins, si je pouvais dormir ! »

Comme un qui n'est pas à son aise,
Et qui n'ose pas s'en aller,
Je frottais de mon cul ma chaise,
40 Rêvant de le faire empaler.

Ce monstre se nomme Bastogne;
Il fuyait devant le fléau.
Moi, je fuirai jusqu'en Gascogne,
44 Ou j'irai me jeter à l'eau,

Si dans ce Paris, qu'il redoute,
Quand chacun sera retourné,
Je trouve encore sur ma route
48 Ce fléau, natif de Tournai.

Bruxelles, 1865.

XXIII. — UN CABARET FOLATRE

SUR LA ROUTE DE BRUXELLES A UCCLE

Vous qui raffolez des squelettes
Et des emblèmes détestés,
Pour épicer les voluptés
4 (Fût-ce de simples omelettes !)

Vieux Pharaon, ô Monselet* !
Devant cette enseigne imprévue,
J'ai rêvé de vous : *A la vue*
8 *Du Cimetière, Estaminet.*

* La malice est cousue de fil blanc; tout le monde sait que M. Monselet fait profession d'aimer à la rage le rose et le gai. — Un jour que M. Monselet reprochait à M. Baudelaire d'avoir écrit ce vers abominable, à propos d'un pendu dont les oiseaux ont crevé le ventre :

Ses intestins pesants lui coulaient sur les cuisses.

« Mais, dit le poète impatienté, je ne pouvais pas faire autrement. Le sujet voulait cela. Qu'auriez-vous préféré à cette image? — Une rose! », répondit M. Monselet.

Cependant il ne faudrait pas croire que l'indispensable mélancolie ne perce pas de temps en temps sous ce vernis anacréontique. Nous avons vu récemment une petite composition de lui, où, se reprochant d'avoir rebuté une pauvresse, le poète se met à sa recherche, et ne se couche que tout triste de ne l'avoir pu retrouver. Cette pièce est d'un homme vraiment sensible, même à jeun.

Regrettons que M. Monselet ne cède pas plus souvent à son tempérament lyrique, qu'une gaieté, tant soit peu artificielle, a trop souvent contrarié. *(Note de l'éditeur.)*

NOUVELLES FLEURS DU MAL

I. — ÉPIGRAPHE POUR UN LIVRE CONDAMNÉ

Lecteur paisible et bucolique,
Sobre et naïf homme de bien,
Jette ce livre saturnien,
4 Orgiaque et mélancolique.

Si tu n'as fait ta rhétorique
Chez Satan, le rusé doyen,
Jette ! tu n'y comprendrais rien,
8 Ou tu me croirais hystérique.

Mais si, sans se laisser charmer,
Ton œil sait plonger dans les gouffres,
11 Lis-moi, pour apprendre à m'aimer;

Ame curieuse qui souffres
Et vas cherchant ton paradis,
14 Plains-moi !... sinon, je te maudis !

II. — L'EXAMEN DE MINUIT

La pendule, sonnant minuit,
Ironiquement nous engage
A nous rappeler quel usage
Nous fîmes du jour qui s'enfuit :
5 — Aujourd'hui, date fatidique,
Vendredi treize, nous avons,
Malgré tout ce que nous savons,
Mené le train d'un hérétique;

Nous avons blasphémé Jésus,
10 Des Dieux le plus incontestable !

Comme un parasite à la table
De quelque monstrueux Crésus,
Nous avons, pour plaire à la brute,
Digne vassale des Démons,
15 Insulté ce que nous aimons,
Et flatté ce qui nous rebute;

Contristé, servile bourreau,
Le faible qu'à tort on méprise;
Salué l'énorme Bêtise,
20 La Bêtise au front de taureau;
Baisé la stupide Matière
Avec grande dévotion,
Et de la putréfaction
Béni la blafarde lumière.

25 Enfin, nous avons, pour noyer
Le vertige dans le délire,
Nous, prêtre orgueilleux de la Lyre,
Dont la gloire est de déployer
L'ivresse des choses funèbres,
30 Bu sans soif et mangé sans faim !...
— Vite soufflons la lampe, afin
De nous cacher dans les ténèbres !

III. — MADRIGAL TRISTE

I

Que m'importe que tu sois sage?
Sois belle ! et sois triste ! Les pleurs
Ajoutent un charme au visage,
Comme le fleuve au paysage;
5 L'orage rajeunit les fleurs.

Je t'aime surtout quand la joie
S'enfuit de ton front terrassé;
Quand ton cœur dans l'horreur se noie;
Quand sur ton présent se déploie
10 Le nuage affreux du passé.

Je t'aime quand ton grand œil verse
Une eau chaude comme le sang;
Quand, malgré ma main qui te berce,
Ton angoisse, trop lourde, perce
15 Comme un râle d'agonisant.

J'aspire, volupté divine!
Hymne profond, délicieux!
Tous les sanglots de ta poitrine,
Et crois que ton cœur s'illumine
20 Des perles que versent tes yeux!

II

Je sais que ton cœur, qui regorge
De vieux amours déracinés,
Flamboie encor comme une forge,
Et que tu couves sous ta gorge
25 Un peu de l'orgueil des damnés;

Mais tant, ma chère, que tes rêves
N'auront pas reflété l'Enfer,
Et qu'en un cauchemar sans trêves,
Songeant de poisons et de glaives,
30 Eprise de poudre et de fer,

N'ouvrant à chacun qu'avec crainte,
Déchiffrant le malheur partout,
Te convulsant quand l'heure tinte,
Tu n'auras pas senti l'étreinte
35 De l'irrésistible Dégoût,

Tu ne pourras, esclave reine
Qui ne m'aimes qu'avec effroi,
Dans l'horreur de la nuit malsaine,
Me dire, l'âme de cris pleine :
40 « Je suis ton égale, ô mon Roi! »

IV. — L'AVERTISSEUR

Tout homme digne de ce nom
A dans le cœur un Serpent jaune,
Installé comme sur un trône,
4 Qui, s'il dit : « Je veux ! » répond : « Non ! »

Plonge tes yeux dans les yeux fixes
Des Satyresses ou des Nixes,
7 La Dent dit : « Pense à ton devoir ! »

Fais des enfants, plante des arbres,
Polis des vers, sculpte des marbres,
10 La Dent dit : « Vivras-tu ce soir ? »

Quoi qu'il ébauche ou qu'il espère,
L'homme ne vit pas un moment
Sans subir l'avertissement
14 De l'insupportable Vipère.

V. — LE REBELLE

Un ange furieux fond du ciel comme un aigle,
Du mécréant saisit à plein poing les cheveux,
Et dit, le secouant : « Tu connaîtras la règle !
4 (Car je suis ton bon Ange, entends-tu ?) Je le veux !

Sache qu'il faut aimer, sans faire la grimace,
Le pauvre, le méchant, le tortu, l'hébété,
Pour que tu puisses faire, à Jésus, quand il passe,
8 Un tapis triomphal avec ta charité.

Tel est l'Amour ! Avant que ton cœur ne se blase,
A la gloire de Dieu rallume ton extase;
11 C'est la Volupté vraie aux durables appas ! »

Et l'Ange, châtiant autant, ma foi ! qu'il aime,
De ses poings de géant torture l'anathème;
14 Mais le damné répond toujours : « Je ne veux pas ! »

VI. — BIEN LOIN D'ICI

C'est ici la case sacrée
Où cette fille très parée,
3 Tranquille et toujours préparée,

D'une main éventant ses seins,
Et son coude dans les coussins,
6 Ecoute pleurer les bassins;

C'est la chambre de Dorothée.
— La brise et l'eau chantent au loin
Leur chanson de sanglots heurtée
10 Pour bercer cette enfant gâtée.

Du haut en bas, avec grand soin,
Sa peau délicate est frottée
D'huile odorante et de benjoin.
14 — Des fleurs se pâment dans un coin.

VII. — RECUEILLEMENT

Sois sage, ô ma Douleur, et tiens-toi plus tranquille.
Tu réclamais le Soir; il descend; le voici :
Une atmosphère obscure enveloppe la ville,
4 Aux uns portant la paix, aux autres le souci.

Pendant que des mortels la multitude vile,
Sous le fouet du Plaisir, ce bourreau sans merci,
Va cueillir des remords dans la fête servile,
8 Ma Douleur, donne-moi la main; viens par ici,

Loin d'eux. Vois se pencher les défuntes Années,
Sur les balcons du ciel, en robes surannées;
11 Surgir du fond des eaux le Regret souriant;

Le Soleil moribond s'endormir sous une arche,
Et, comme un long linceul traînant à l'Orient,
14 Entends, ma chère, entends la douce Nuit qui marche.

VIII. — LE GOUFFRE

Pascal avait son gouffre, avec lui se mouvant.
— Hélas ! tout est abîme, — action, désir, rêve,
Parole ! et sur mon poil qui tout droit se relève
4 Maintes fois de la Peur je sens passer le vent.

En haut, en bas, partout, la profondeur, la grève,
Le silence, l'espace affreux et captivant...
Sur le fond de mes nuits Dieu de son doigt savant
8 Dessine un cauchemar multiforme et sans trêve.

J'ai peur du sommeil comme on a peur d'un grand [trou,
Tout plein de vague horreur, menant on ne sait où;
11 Je ne vois qu'infini par toutes les fenêtres,

Et mon esprit, toujours du vertige hanté,
Jalouse du néant l'insensibilité.
14 — Ah ! ne jamais sortir des Nombres et des Etres !

IX. — LES PLAINTES D'UN ICARE

Les amants des prostituées
Sont heureux, dispos et repus;
Quant à moi, mes bras sont rompus
4 Pour avoir étreint des nuées.

C'est grâce aux astres nonpareils,
Qui tout au fond du ciel flamboient,
Que mes yeux consumés ne voient
8 Que des souvenirs de soleils.

En vain j'ai voulu de l'espace
Trouver la fin et le milieu;
Sous je ne sais quel œil de feu
12 Je sens mon aile qui se casse;

Et brûlé par l'amour du beau,
Je n'aurai pas l'honneur sublime
De donner mon nom à l'abîme
16 Qui me servira de tombeau.

X. — LE COUVERCLE

En quelque lieu qu'il aille, ou sur mer ou sur terre,
Sous un climat de flamme ou sous un soleil blanc,
Serviteur de Jésus, courtisan de Cythère,
4 Mendiant ténébreux ou Crésus rutilant,

Citadin, campagnard, vagabond, sédentaire,
Que son petit cerveau soit actif ou soit lent,
Partout l'homme subit la terreur du mystère,
8 Et ne regarde en haut qu'avec un œil tremblant.

En haut, le Ciel ! ce mur de caveau qui l'étouffe,
Plafond illuminé par un opéra bouffe
11 Où chaque histrion foule un sol ensanglanté;

Terreur du libertin, espoir du fol ermite :
Le Ciel ! couvercle noir de la grande marmite
14 Où bout l'imperceptible et vaste Humanité.

POÈMES DE L'ÉDITION POSTHUME DES FLEURS DU MAL

I. — LA PRIÈRE D'UN PAIEN

Ah ! ne ralentis pas tes flammes ;
Réchauffe mon cœur engourdi,
Volupté, torture des âmes !
4 *Diva ! supplicem exaudî !*

Déesse dans l'air répandue,
Flamme dans notre souterrain !
Exauce une âme morfondue,
8 Qui te consacre un chant d'airain.

Volupté, sois toujours ma reine !
Prends le masque d'une sirène
11 Faite de chair et de velours,

Ou verse-moi tes sommeils lourds
Dans le vin informe et mystique,
14 Volupté, fantôme élastique !

II. — LA LUNE OFFENSÉE

O Lune qu'adoraient discrètement nos pères,
Du haut des pays bleus où, radieux sérail,
Les astres vont se suivre en pimpant attirail,
4 Ma vieille Cynthia, lampe de nos repaires,

Vois-tu les amoureux, sur leurs grabats prospères,
De leur bouche en dormant montrer le frais émail ?
Le poète buter du front sur son travail ?
8 Ou sous les gazons secs s'accoupler les vipères ?

Sous ton domino jaune, et d'un pied clandestin,
Vas-tu, comme jadis, du soir jusqu'au matin,
11 Baiser d'Endymion les grâces surannées ?

— « Je vois ta mère, enfant de ce siècle appauvri,
Qui vers son miroir penche un lourd amas d'années,
14 Et plâtre artistement le sein qui t'a nourri ! »

III. — LE CALUMET DE PAIX

IMITÉ DE LONGFELLOW

I

Or Gitche Manito*, le Maître de la vie,
Le Puissant, descendit dans la verte prairie,
Dans l'immense prairie aux coteaux montueux;
Et là, sur les rochers de la Rouge Carrière,
Dominant tout l'espace et baigné de lumière,
6 Il se tenait debout, vaste et majestueux.

Alors il convoqua les peuples innombrables,
Plus nombreux que ne sont les herbes et les sables.
Avec sa main terrible il rompit un morceau
Du rocher, dont il fit une pipe superbe,
Puis, au bord du ruisseau, dans une énorme gerbe,
12 Pour s'en faire un tuyau, choisit un long roseau.

Pour la bourrer il prit au saule son écorce;
Et lui, le Tout-Puissant, Créateur de la Force,
Debout, il alluma, comme un divin fanal,
La Pipe de la Paix. Debout sur la Carrière
Il fumait, droit, superbe et baigné de lumière.
18 Or, pour les nations c'était le grand signal.

Et lentement montait la divine fumée
Dans l'air doux du matin, onduleuse, embaumée.
Et d'abord ce ne fut qu'un sillon ténébreux;
Puis la vapeur se fit plus bleue et plus épaisse,
Puis blanchit; et montant, et grossissant sans cesse,
24 Elle alla se briser au dur plafond des cieux.

Des plus lointains sommets des Montagnes Rocheuses,
Depuis les lacs du Nord aux ondes tapageuses,

* Prononcez : *Guitchi Manitou. (Note de Baudelaire)*

Depuis Tawasentha, le vallon sans pareil,
Jusqu'à Tuscaloosa, la forêt parfumée,
Tous virent le signal et l'immense fumée
30 Montant paisiblement dans le matin vermeil.

Les Prophètes disaient : « Voyez-vous cette bande
De vapeur, qui, semblable à la main qui commande,
Oscille et se détache en noir sur le soleil?
C'est Gitche Manito, le Maître de la Vie,
Qui dit aux quatre coins de l'immense prairie :
36 « Je vous convoque tous, guerriers, à mon conseil! »

Par le chemin des eaux, par la route des plaines,
Par les quatre côtés d'où soufflent les haleines
Du vent, tous les guerriers de chaque tribu, tous,
Comprenant le signal du nuage qui bouge,
Vinrent docilement à la Carrière Rouge
42 Où Gitche Manito leur donnait rendez-vous.

Les guerriers se tenaient sur la verte prairie,
Tous équipés en guerre, et la mine aguerrie,
Bariolés ainsi qu'un feuillage automnal;
Et la haine qui fait combattre tous les êtres,
La haine qui brûlait les yeux de leurs ancêtres
48 Incendiait encor leurs yeux d'un feu fatal.

Et leurs yeux étaient pleins de haine héréditaire.
Or, Gitche Manito, le Maître de la Terre,
Les considérait tous avec compassion,
Comme un père très bon, ennemi du désordre,
Qui voit ses chers petits batailler et se mordre.
54 Tel Gitche Manito pour toute nation.

Il étendit sur eux sa puissante main droite
Pour subjuguer leur cœur et leur nature étroite,
Pour rafraîchir leur fièvre à l'ombre de sa main;
Puis il leur dit avec sa voix majestueuse,
Comparable à la voix d'une eau tumultueuse
60 Qui tombe, et rend un son monstrueux, surhumain!

II

« O ma postérité, déplorable et chérie!
O mes fils! écoutez la divine raison.

C'est Gitche Manito, le Maître de la Vie,
Qui vous parle ! celui qui dans votre patrie
65 A mis l'ours, le castor, le renne et le bison.

Je vous ai fait la chasse et la pêche faciles;
Pourquoi donc le chasseur devient-il assassin ?
Le marais fut par moi peuplé de volatiles;
Pourquoi n'êtes-vous pas contents, fils indociles ?
70 Pourquoi l'homme fait-il la chasse à son voisin ?

Je suis vraiment bien las de vos horribles guerres.
Vos prières, vos vœux mêmes sont des forfaits !
Le péril est pour vous dans vos humeurs contraires,
Et c'est dans l'union qu'est votre force. En frères
75 Vivez donc, et sachez vous maintenir en paix.

Bientôt vous recevrez de ma main un Prophète
Qui viendra vous instruire et souffrir avec vous.
Sa parole fera de la vie une fête;
Mais si vous méprisez sa sagesse parfaite,
80 Pauvres enfants maudits, vous disparaîtrez tous !

Effacez dans les flots vos couleurs meurtrières.
Les roseaux sont nombreux et le roc est épais;
Chacun en peut tirer sa pipe. Plus de guerres,
Plus de sang ! Désormais vivez comme des frères,
85 Et tous, unis, fumez le Calumet de Paix ! »

III

Et soudain tous, jetant leurs armes sur la terre,
Lavent dans le ruisseau les couleurs de la guerre
Qui luisaient sur leurs fronts cruels et triomphants.
Chacun creuse une pipe et cueille sur la rive
Un long roseau qu'avec adresse il enjolive.
91 Et l'Esprit souriait à ses pauvres enfants !

Chacun s'en retourna, l'âme calme et ravie,
Et Gitche Manito, le Maître de la Vie,
Remonta par la porte entr'ouverte des cieux.
— A travers la vapeur splendide du nuage
Le Tout-Puissant montait, content de son ouvrage,
97 Immense, parfumé, sublime, radieux !

IV. — A THÉODORE DE BANVILLE

Vous avez empoigné les crins de la Déesse
Avec un tel poignet qu'on vous eût pris, à voir
Et cet air de maîtrise et ce beau nonchaloir,
4 Pour un jeune ruffian terrassant sa maîtresse.

L'œil clair et plein du feu de la précocité,
Vous avez prélassé votre orgueil d'architecte
Dans des constructions dont l'audace correcte
8 Fait voir quelle sera votre maturité.

Poète, notre sang nous fuit par chaque pore;
Est-ce que par hasard la robe de Centaure,
11 Qui changeait toute veine en funèbre ruisseau,

Etait teinte trois fois dans les laves subtiles
De ces vindicatifs et monstrueux reptiles
14 Que le petit Hercule étranglait au berceau?

ORGUEIL

Anges habillés d'or, de pourpre et d'hyacinthe.

Le génie et l'amour sont des devoirs faciles.

LE GOINFRE

En ruminant je ris des passants faméliques.
Je crèverais comme un obus
5 Si je n'absorbais comme un chancre.

J'ai pétri de la boue et j'en ai fait de l'or.

Il portait dans les yeux la force de son cœur.
Dans Paris son désert vivant sans feu ni lieu,
Aussi fort qu'une bête, aussi libre qu'un Dieu.

---

10 Son regard n'était pas nonchalant, ni timide,
Mais exhalait plutôt quelque chose d'avide,
Et, comme sa narine, exprimait les émois
Des artistes devant les œuvres de leurs doigts.

Ta jeunesse sera plus féconde en orages
15 Que cette canicule aux yeux pleins de lueurs
Qui sur nos fronts pâlis tord ses bras en sueurs,
Et soufflant dans la nuit ses haleines fiévreuses
Rend de leurs frêles corps les filles amoureuses,
Et les fait au miroir, stérile volupté,
20 Contempler les fruits mûrs de leur virginité.

Mais je vois à cet œil tout chargé de tempêtes
Que ton cœur n'est pas fait pour les paisibles fêtes,
Et que cette beauté, sombre comme le fer,
Est de celles que forge et que polit l'Enfer
25 Pour accomplir un jour d'effroyables luxures
Et contrister le cœur des humbles créatures.

Affaissant sous son poids un énorme oreiller,
Un beau corps était là, doux à voir sommeiller,
Et son sommeil orné d'un sourire superbe
. . . .
30 L'ornière de son dos par le désir hanté.

L'air était imprégné d'une amoureuse rage;
Les insectes volaient à la lampe et nul vent
Ne faisait tressaillir le rideau ni l'auvent.
C'était une nuit chaude, un vrai bain de jouvence.

---

35 Grand ange qui portez sur votre fier visage
La noirceur de l'Enfer d'où vous êtes monté;
Dompteur féroce et doux qui m'avez mis en cage
Pour servir de spectacle à votre cruauté,

Cauchemar de mes nuits, Sirène sans corsage,
40 Qui me tirez, toujours debout à mon côté,
Par ma robe de saint ou ma barbe de sage
Pour m'offrir le poison d'un amour effronté

DAMNATION

Le banc inextricable et dur,
La passe au col étroit, le maëlstrom vorace
45 Agitent moins de sable et de varech impur

Que nos cœurs où pourtant tant de ciel se reflète;
Ils sont une jetée à l'air noble et massif,
Où le phare reluit, bienfaisante vedette,
Mais que mine en dessous le taret corrosif;

50 On peut les comparer encore à cette auberge,
Espoir des affamés, où cognent sur le tard,
Blessés, brisés, jurant, priant qu'on les héberge,
L'écolier, le prélat, la gouge et le soudard.

Ils ne reviendront pas dans les chambres infectes;
55 Guerre, science, amour, rien ne veut plus de nous.
L'âtre était froid, les lits et le vin pleins d'insectes;
Ces visiteurs, il faut les servir à genoux!

SPLEEN.

ÉBAUCHE D'UN ÉPILOGUE POUR LA DEUXIÈME ÉDITION DES « FLEURS DU MAL »

Tranquille comme un sage et doux comme un
[maudit, ... j'ai dit :
Je t'aime, ô ma très belle, ô ma charmante...
Que de fois...
5 Tes débauches sans soif et tes amours sans âme,
Ton goût de l'infini
Qui partout, dans le mal lui-même, se proclame,

Tes bombes, tes poignards, tes victoires, tes fêtes,
Tes faubourgs mélancoliques,
10 Tes hôtels garnis,
Tes jardins pleins de soupirs et d'intrigues,
Tes temples vomissant la prière en musique,
Tes désespoirs d'enfant, tes jeux de vieille folle,
Tes découragements;

15 Et tes feux d'artifice, éruptions de joie,
Qui font rire le Ciel, muet et ténébreux.

Ton vice vénérable étalé dans la soie,
Et ta vertu risible, au regard malheureux,
Douce, s'extasiant au luxe qu'il déploie...

20 Tes principes sauvés et tes lois conspuées,
Tes monuments hautains où s'accrochent les brumes.
Tes dômes de métal qu'enflamme le soleil,
Tes reines de théâtre aux voix enchanteresses,
Tes tocsins, tes canons, orchestre assourdissant,
25 Tes magiques pavés dressés en forteresses,

Tes petits orateurs, aux enflures baroques,
Prêchant l'amour, et puis tes égouts pleins de sang,
S'engouffrant dans l'Enfer comme des Orénoques,
Tes anges, tes bouffons neufs aux vieilles défroques
30 Anges revêtus d'or, de pourpre et d'hyacinthe,
O vous, soyez témoins que j'ai fait mon devoir
Comme un parfait chimiste et comme une âme sainte.

Car j'ai de chaque chose extrait la quintessence,

Tu m'as donné ta boue et j'en ai fait de l'or.

POÈMES DIVERS

I

N'est-ce pas qu'il est doux, maintenant que nous
[sommes
Fatigués et flétris comme les autres hommes,
De chercher quelquefois à l'Orient lointain
Si nous voyons encor les rougeurs du matin,
5 Et, quand nous avançons dans la rude carrière,
D'écouter les échos qui chantent en arrière
Et les chuchotements de ces jeunes amours
Que le Seigneur a mis au début de nos jours?

II

Il aimait à la voir, avec ses jupes blanches,
Courir tout au travers du feuillage et des branches,
Gauche et pleine de grâce, alors qu'elle cachait
4 Sa jambe, si la robe aux buissons s'accrochait.

III. — INCOMPATIBILITÉ

Tout là-haut, tout là-haut, loin de la route sûre,
Des fermes, des vallons, par delà les coteaux,
Par delà les forêts, les tapis de verdure,
4 Loin des derniers gazons foulés par les troupeaux,

On rencontre un lac sombre encaissé dans l'abîme
Que forment quelques pics désolés et neigeux;
L'eau, nuit et jour, y dort dans un repos sublime,
8 Et n'interrompt jamais son silence orageux.

Dans ce morne désert à l'oreille incertaine
Arrivent par moments des bruits faibles et longs,
Et des échos plus morts que la cloche lointaine
12 D'une vache qui paît aux penchants des vallons.

Sur ces monts où le vent efface tout vestige,
Ces glaciers pailletés qu'allume le soleil,
Sur ces rochers altiers où guette le vertige,
16 Dans ce lac où le soir mire son teint vermeil,

Sous mes pieds, sur ma tête et partout, le silence,
Le silence qui fait qu'on voudrait se sauver,
Le silence éternel et la montagne immense,
20 Car l'air est immobile et tout semble rêver.

On dirait que le ciel, en cette solitude,
Se contemple dans l'onde, et que ces monts, là-bas,
Ecoutent, recueillis, dans leur grave attitude,
24 Un mystère divin que l'homme n'entend pas.

Et lorsque par hasard une nuée errante
Assombrit dans son vol le lac silencieux,
On croirait voir la robe ou l'ombre transparente
28 D'un esprit qui voyage et passe dans les cieux.

IV

Tout à l'heure je viens d'entendre
Dehors résonner doucement
D'un air monotone et si tendre
4 Qu'il bruit en moi vaguement,

Une de ces vieilles plaintives,
Muses des pauvres Auvergnats,
Qui jadis aux heures oisives,
8 Nous charmaient si souvent, hélas !

Et, son espérance détruite,
Le pauvre s'en fut tristement;
Et moi je pensai tout de suite
12 A mon ami que j'aime tant,

Qui me disait en promenade
Que pour lui c'était un plaisir
Qu'une semblable sérénade
16 Dans un morne et long loisir.

Nous aimions cette humble musique
Si douce à nos esprits lassés
Quand elle vient, mélancolique,
20 Répondre à de tristes pensers.

— Et j'ai laissé les vitres closes,
Ingrat, pour qui m'a fait ainsi
Rêver de si charmantes choses,
24 Et penser à mon cher Henri !

V

Hélas ! qui n'a gémi sur autrui, sur soi-même ?
Et qui n'a dit à Dieu : « Pardonnez-moi, Seigneur,
Si personne ne m'aime et si nul n'a mon cœur ?
4 Ils m'ont tous corrompu; personne ne vous aime ! »

Alors, lassé du monde et de ses vains discours,
Il faut lever les yeux aux voûtes sans nuages,
Et ne plus s'adresser qu'aux muettes images,
8 De ceux qui n'aiment rien consolantes amours.

Alors il faut s'entourer de mystère,
Se fermer aux regards, et sans morgue et sans fiel,
Sans dire à vos voisins : « Je n'aime que le ciel »,
12 Dire à Dieu : « Consolez mon âme de la terre ! »

Tel, fermé par son prêtre, un pieux monument,
Quand sur nos sombres toits la nuit est descendue,
Quand la foule a laissé le pavé de la rue,
16 Se remplit de silence et de recueillement.

VI

Vous avez, compagnon dont le cœur est poète,
Passé dans quelque bourg tout paré, tout vermeil,
Quand le ciel et la terre ont un bel air de fête,
4 Un dimanche éclairé par un joyeux soleil;

Quand le clocher s'agite et qu'il chante à tue-tête,
Et tient dès le matin le village en éveil,
Quand tous pour entonner l'office qui s'apprête,
8 S'en vont, jeunes et vieux, en pimpant appareil;

Lors, s'élevant au fond de votre âme mondaine,
Des sons d'orgue mourant et de cloche lointaine
11 Vous ont-ils pas tiré malgré vous un soupir?

Cette dévotion des champs, joyeuse et franche,
Ne vous a-t-elle pas, triste et doux souvenir,
14 Rappelé qu'autrefois vous aimiez le dimanche?

VII

Je n'ai pas pour maîtresse une lionne illustre :
La gueuse, de mon âme, emprunte tout son lustre;
Invisible aux regards de l'univers moqueur,
4 Sa beauté ne fleurit que dans mon triste cœur.

Pour avoir des souliers elle a vendu son âme.
Mais le bon Dieu rirait si, près de cette infâme,
Je tranchais du Tartufe et singeais la hauteur,
8 Moi qui vends ma pensée et qui veux être auteur.

Vice beaucoup plus grave, elle porte perruque. [nuque;
Tous ses beaux cheveux noirs ont fui sa blanche

Ce qui n'empêche pas les baisers amoureux
12 De pleuvoir sur son front plus pelé qu'un lépreux.

Elle louche, et l'effet de ce regard étrange
Qu'ombragent des cils noirs plus longs que ceux d'un [ange,
Est tel que tous les yeux pour qui l'on s'est damné
16 Ne valent pas pour moi son œil juif et cerné.

Elle n'a que vingt ans; — la gorge déjà basse
Pend de chaque côté comme une calebasse,
Et pourtant, me traînant chaque nuit sur son corps,
20 Ainsi qu'un nouveau-né, je la tette et la mords,

Et bien qu'elle n'ait pas souvent même une obole
Pour se frotter la chair et pour s'oindre l'épaule,
Je la lèche en silence avec plus de ferveur
24 Que Madeleine en feu les deux pieds du Sauveur.

La pauvre créature, au plaisir essoufflée,
A de rauques hoquets la poitrine gonflée,
Et je devine au bruit de son souffle brutal
28 Qu'elle a souvent mordu le pain de l'hôpital.

Ses grands yeux inquiets, durant la nuit cruelle,
Croient voir deux autres yeux au fond de la ruelle,
Car, ayant trop ouvert son cœur à tous venants,
32 Elle a peur sans lumière et croit aux revenants.

Ce qui fait que de suif elle use plus de livres
Qu'un vieux savant couché jour et nuit sur ses livres,
Et redoute bien moins la faim et ses tourments
36 Que l'apparition de ses défunts amants.

Si vous la rencontrez, bizarrement parée,
Se faufilant, au coin d'une rue égarée,
Et la tête et l'œil bas comme un pigeon blessé,
40 Traînant dans les ruisseaux un talon déchaussé,

Messieurs, ne crachez pas de jurons ni d'ordure
Au visage fardé de cette pauvre impure
Que déesse Famine a par un soir d'hiver
44 Contrainte à relever ses jupons en plein air.

Cette bohème-là, c'est mon tout, ma richesse,
Ma perle, mon bijou, ma reine, ma duchesse,

Celle qui m'a bercé sur son giron vainqueur,
48 Et qui dans ses deux mains a réchauffé mon cœur.

VIII

Ci-gît, qui pour avoir par trop aimé les gaupes,
Descendit jeune encore au royaume des taupes.

IX

Noble femme au bras fort, qui durant les longs jours
Sans penser bien ni mal dors ou rêves toujours,
Fièrement troussée à l'antique,
Toi que depuis dix ans qui pour moi se font lents
Ma bouche bien apprise aux baisers succulents
6 Choya d'un amour monastique —

Prêtresse de débauche et ma sœur de plaisir
Qui toujours dédaignas de porter et nourrir
Un homme en tes cavités saintes,
Tant tu crains et tu fuis le stygmate alarmant
Que la vertu creusa de son soc infamant
12 Au flanc des matrones enceintes.

X

Tous imberbes alors, sur les vieux bancs de chêne
Plus polis et luisants que des anneaux de chaîne,
Que, jour à jour, la peau des hommes a fourbis,
Nous traînions tristement nos ennuis, accroupis

5 Et voûtés sous le ciel carré des solitudes,
Où l'enfant boit, dix ans, l'âpre lait des études.
C'était dans ce vieux temps, mémorable et marquant,
Où, forcés d'élargir le classique carcan,
Les professeurs, encor rebelles à vos rimes,
10 Succombaient sous l'effort de nos folles escrimes
Et laissaient l'écolier, triomphant et mutin,
Faire à l'aise hurler Triboulet en latin. —
Qui de nous en ces temps d'adolescences pâles
N'a connu la torpeur des fatigues claustrales,
15 — L'œil perdu dans l'azur morne d'un ciel d'été,
Ou l'éblouissement de la neige, — guetté,
L'oreille avide et droite, — et bu, comme une meute,
L'écho lointain d'un livre, ou le cri d'une émeute?

C'était surtout l'été, quand les plombs se fondaient,
20 Que ces grands murs noircis en tristesse abondaient,
Lorsque la canicule ou le fumeux automne
Irradiait les cieux de son feu monotone,
Et faisait sommeiller, dans les sveltes donjons,
Les tiercelets criards, effroi des blancs pigeons;
25 Saison de rêverie, où la Muse s'accroche
Pendant un jour entier au battant d'une cloche;
Où la Mélancolie, à midi, quand tout dort,
Le menton dans la main, au fond du corridor, —
L'œil plus noir et plus bleu que la Religieuse
30 Dont chacun sait l'histoire obscène et douloureuse,
— Traîne un pied alourdi de précoces ennuis,
Et son front moite encor des langueurs de ses nuits.
— Et puis venaient les soirs malsains, les nuits [fiévreuses,
Qui rendent de leurs corps les filles amoureuses,
35 Et les font, aux miroirs, — stérile volupté, —
Contempler les fruits mûrs de leur nubilité, —
Les soirs italiens, de molle insouciance,
— Qui des plaisirs menteurs révèlent la science,
— Quand la sombre Vénus, du haut des balcons noirs,
40 Verse des flots de musc de ses frais encensoirs. —

....

Ce fut dans ce conflit de molles circonstances,
Mûri par vos sonnets, préparé par vos stances,
Qu'un soir, ayant flairé le livre et son esprit,
J'emportai sur mon cœur l'histoire d'Amaury.

45 Tout abîme mystique est à deux pas du doute. —
Le breuvage infiltré lentement, goutte à goutte,
En moi qui, dès quinze ans, vers le gouffre entraîné,
Déchiffrais couramment les soupirs de René,
Et que de l'inconnu la soif bizarre alterre,
50 — A travaillé le fond de la plus mince altère. —
J'en ai tout absorbé, les miasmes, les parfums,
Le doux chuchotement des souvenirs défunts,
Les longs enlacements des phrases symboliques,
— Chapelets murmurants de madrigaux mystiques;
55 — Livre voluptueux, si jamais il en fut. —

Et depuis, soit au fond d'un asile touffu,
Soit que, sous les soleils des zones différentes,
L'éternel bercement des houles enivrantes,
Et l'aspect renaissant des horizons sans fin
60 Ramenassent ce cœur vers le songe divin, —
Soit dans les lourds loisirs d'un jour caniculaire,
Ou dans l'oisiveté frileuse de frimaire, —
Sous les flots du tabac qui masque le plafond,
J'ai partout feuilleté le mystère profond
65 De ce livre si cher aux âmes engourdies
Que leur destin marqua des mêmes maladies,
Et, devant le miroir, j'ai perfectionné
L'art cruel qu'un démon, en naissant, m'a donné,
— De la douleur pour faire une volupté vraie, —
70 D'ensanglanter un mal et de gratter sa plaie.

Poète, est-ce une injure ou bien un compliment?
Car je suis vis-à-vis de vous comme un amant
En face du fantôme, au geste plein d'amorces,
Dont la main et dont l'œil ont, pour pomper les forces,
75 Des charmes inconnus. — Tous les êtres aimés
Sont des vases de fiel qu'on boit, les yeux fermés,
Et le cœur transpercé, que la douleur allèche,
Expire chaque jour en bénissant sa flèche.

XI

— Combien dureront nos amours?
Dit la pucelle au clair de lune.

L'amoureux répond : — O ma brune,
4 Toujours, toujours !

Quand tout sommeille aux alentours,
Elise, se tortillant d'aise,
Dit qu'elle veut que je la baise
8 Toujours, toujours !

Moi, je dis : — Pour charmer mes jours
Et le souvenir de mes peines,
Bouteilles, que n'êtes-vous pleines
12 Toujours, toujours !

Mais le plus chaste des amours,
L'amoureux le plus intrépide,
Comme un flacon s'use et se vide
16 Toujours, toujours !

XII

Au milieu de la foule, errantes, confondues,
Gardant le souvenir précieux d'autrefois,
Elles cherchent l'écho de leurs voix éperdues,
Tristes comme, le soir, deux colombes perdues
5 Et qui s'appellent dans les bois.

XIII

Je vis, et ton bouquet est de l'architecture :
C'est donc lui la beauté, car c'est moi la nature;
Si toujours la nature embellit la beauté,
4 Je fais valoir tes fleurs... me voilà trop flatté.

XIV

MONSELET PAILLARD

Vers destinés à son portrait.

On me nomme le *petit chat ;*
Modernes petites-maîtresses,
J'unis à vos délicatesses
4 La force d'un jeune pacha.

La douceur de la voûte bleue
Est concentrée en mon regard;
Si vous voulez me voir hagard,
8 Lectrices, mordez-moi la queue !

XV

D'un esprit biscornu le séduisant projet
— Qui de tant de héros va choisir Bruandet !

XVI

Vers laissés chez un ami absent

5 heures, à l'Hermitage.

Mon cher, je suis venu chez vous
Pour entendre une langue humaine;

Comme un, qui, parmi les Papous,
4 Chercherait son ancienne Athène,

Puisque chez les Topinambous
Dieu me fait faire quarantaine,
Aux sots je préfère les fous
8 — Dont je suis, chose, hélas ! certaine.

Offrez à Mam'selle Fanny
(Qui ne répondra pas : Nenny,
11 Le salut n'étant pas d'un âne),

L'hommage d'un bon écrivain,
— Ainsi qu'à l'ami Lécrivain
14 Et qu'à Mams'elle Jeanne.

XVII

Sonnet pour s'excuser de ne pas accompagner un ami à Namur.

Puisque vous allez vers la ville
Qui, bien qu'un fort mur l'encastrât,
Défraya la verve servile
4 Du fameux poète castrat;

Puisque vous allez en vacances
Goûter un plaisir recherché,
Usez toutes vos éloquences,
8 Mon bien cher Coco-Malperché.

(Comme je le ferais moi-même)
A dire là-bas combien j'aime
11 Ce tant folâtre Monsieur Rops,

Qui n'est pas un grand prix de Rome,
Mais dont le talent est haut comme
14 La pyramide de Chéops !

XVIII

Monsieur Auguste Malassis
Rue de Mercélis
3 Numéro *trente-cinq* bis
Dans le faubourg d'Ixelles,
Bruxelles.
6 (Recommandée à l'Arioste
De la poste,
C'est-à-dire à quelque facteur
9 Versificateur)

AMŒNITATES BELGICÆ

VENUS BELGA

(Montagne de la Cour)

Ces mollets sur ces pieds montés,
Qui vont sous des cottes peu blanches,
Ressemblent à des troncs plantés
4 Dans des planches.

Les seins des moindres femmelettes,
Ici, pèsent plusieurs quintaux,
Et leurs membres sont des poteaux
8 Qui donnent le goût des squelettes.

Il ne me suffit pas qu'un sein soit gros et doux :
Il le faut un peu ferme, ou je tourne casaque.
Car, sacré nom de Dieu ! je ne suis pas Cosaque
12 Pour me soûler avec du suif et du saindoux.

LA PROPRETÉ DES DEMOISELLES BELGES

Elle puait comme une fleur moisie.
Moi, je lui dis (mais avec courtoisie) :
« Vous devriez prendre un bain régulier
4 Pour dissiper ce parfum de bélier. »

Que me répond cette jeune hébétée ?
« Je ne suis pas, moi, de vous dégoûtée ! »
— Ici pourtant on lave le trottoir
8 Et le parquet avec un savon noir !

LA PROPRETÉ BELGE

« *Bains* ». — J'entre et demande un bain. Alors le [maître
Me regarde avec l'œil d'un bœuf qui vient de paître,
Et me dit : « Ça n'est pas possible, ça, sais-tu,
Monsieur ! » — Et puis, d'un air plus abattu :
5 « Nous avons au grenier porté nos trois baignoires. »

J'ai lu, je m'en souviens, dans les vieilles histoires,
Que le Romain mettait son vin au grenier; mais,
Si barbare qu'il fût, ses baignoires, jamais!
Aussi, je m'écriai : « Quelle idée, ô mon Dieu ! »

10 Mais l'ingénu : « Monsieur, c'est qu'on venait si peu ! »

L'AMATEUR DES BEAUX-ARTS EN BELGIQUE

Un ministre qu'on dit le Mecenas flamand
Me promenait un jour dans son appartement,
Interrogeant mes yeux devant chaque peinture,
Parlant un peu de l'*art*, beaucoup de la *nature*,
5 Vantant le *paysage*, expliquant le *sujet*,

Et surtout me marquant le *prix* de chaque objet.
— Mais voilà qu'arrivé devant un portrait d'Ingres
(Pédant dont j'aime peu les qualités malingres)
Je fus pris tout à coup d'une sainte fureur
10 De célébrer David, le grand peintre empereur !
— Lui, se tourne vers son fournisseur ordinaire,
Qui se tenait debout comme un factionnaire,
Ou comme un chambellan qui savoure avec foi
Les sottises tombant des lèvres de son roi,
15 Et lui dit, avec l'œil d'un marchand de la Beauce :
« Je crois, mon cher, je crois que David est en hausse ! »

UNE EAU SALUTAIRE

Joseph Delorme a découvert
Un ruisseau si clair et si vert
Qu'il donne aux malheureux l'envie
D'y terminer leur triste vie.
5 — Je sais un moyen de guérir
De cette passion malsaine
Ceux qui veulent ainsi périr :
Menez-les au bord de la Senne,

Voyez — dit ce Belge badin
10 Qui n'est certes pas un ondin —
La *contrefaçon* de la Seine.
— Oui — lui dis-je — une Seine obscène !

Car cette Senne, à proprement
Parler, où de tout mur et de tout fondement*
15 L'indescriptible tombe en foule
Ce n'est guères qu'un excrément
Qui coule.

LES BELGES ET LA LUNE

On n'a jamais connu de race si baroque
Que ces Belges. Devant le joli, le charmant,
Ils roulent de gros yeux et grognent sourdement.
4 Tout ce qui réjouit nos cœurs mortels les choque.

Dites un mot plaisant, et leur œil devient gris
Et terne comme l'œil d'un poisson qu'on fait frire;

* Les bords de la Senne, dans Bruxelles, sont occupés par des maisons qui trempent leurs fondations dans le liquide. *(Note de Baudelaire.)*

Une histoire touchante; ils éclatent de rire,
8 Pour faire voir qu'ils ont parfaitement compris.

Comme l'esprit, ils ont en horreur les lumières;
Parfois sous la clarté calme du firmament,
11 J'en ai vu qui, rongés d'un bizarre tourment,

Dans l'horreur de la fange et du vomissement,
Et gorgés jusqu'aux dents de genièvre et de bières,
14 Aboyaient à la Lune, assis sur leurs derrières.

ÉPIGRAPHE POUR L'ATELIER DE M. ROPS, FABRICANT DE CERCUEILS A BRUXELLES.

Je rêvais, contemplant ces bières
De palissandre ou d'acajou,
Qu'un habile ébéniste orne de cent manières :
« Quel écrin ! et pour quel bijou !

5 Les morts, ici, sont sans vergognes!
Un jour, des cadavres flamands
Souilleront ces cercueils charmants.
Faire de tels étuis pour de telles charognes ! »

LA NYMPHE DE LA SENNE

Je voudrais bien — me dit un ami singulier,
Dont souvent la pensée alterne avec la mienne —
« Voir la Naïade de la Senne;
4 Elle doit ressembler à quelque charbonnier
Dont la face est toute souillée. »
— « Mon ami, vous êtes bien bon.
Non, non ! Ce n'est pas de charbon
8 Que cette nymphe est barbouillée ! »

OPINION DE M. HETZEL SUR LE FARO

« Buvez-vous du faro ? » — dis-je à monsieur Hetzel;
Je vis un peu d'horreur sur sa mine barbue,
— « Non, jamais ! le faro (je dis cela sans fiel !)
4 C'est de la bière deux fois bue. »

Hetzel parlait ainsi, dans un Café flamand,
Par prudence sans doute, énigmatiquement;
Je compris que c'était une manière fine
8 De me dire : « Faro, synonyme d'urine ! »

« Observez bien que le faro
Se fait avec de l'eau de Senne »
— « Je comprends d'où lui vient sa saveur citoyenne.
12 Après tout, c'est selon ce qu'on entend par eau ! »

UN NOM DE BON AUGURE

Sur la porte je lus : « *Lise Van Swiéten* ».
(C'était dans un quartier qui n'est pas un Eden)
— Heureux l'époux, heureux l'amant qui la possède,
4 Cette Eve qui contient en elle son remède !
Cet homme enviable a trouvé,
Ce que nul n'a jamais rêvé,
Depuis le pôle nord jusqu'au pôle antarctique
8 Une épouse prophylactique !

LE RÊVE BELGE

La Belgique se croit toute pleine d'appas;
Elle dort. Voyageur, ne la réveillez pas.

L'INVIOLABILITÉ DE LA BELGIQUE

« Qu'on ne me touche pas ! Je suis inviolable ! »
Dit la Belgique. — C'est hélas ! incontestable.
Y toucher ? Ce serait, en effet, hasardeux,
4 Puisqu'elle est un bâton merdeux.

ÉPITAPHE POUR LÉOPOLD I

Ci-gît un roi constitutionnel,
(Ce qui veut dire : Automate en hôtel
Garni)
Qui se croyait sempiternel
5 Heureusement, c'est bien fini !

ÉPITAPHE POUR LA BELGIQUE

On me demande une épitaphe
Pour la Belgique morte. En vain
Je creuse, et je rue et je piaffe;
4 Je ne trouve qu'un mot : « Enfin ! »

L'ESPRIT CONFORME

I

Cet imbécile de Tournai
Me dit : « J'ai l'esprit mieux tourné
Que vous, Monsieur. Ma jouissance
Dérive de l'obéissance;
5 J'ai mis toute ma volupté
Dans l'esprit de Conformité;
Mon cœur craint toute façon neuve
En fait de plaisir ou d'ennui,
Et veut que le bonheur d'autrui
10 Toujours au sien serve de preuve. »

Ce que dit l'homme de Tournai
(Dont vous devinez bien, je pense,
Que j'ai retouché l'éloquence)
14 N'était pas si bien tourné.

L'ESPRIT CONFORME

II

Les Belges poussent, ma parole !
L'imitation à l'excès,
Et s'ils attrapent la vérole,
4 C'est pour ressembler aux Français.

LES PANÉGYRIQUES DU ROI

Tout le monde, ici, parle un français ridicule :
On proclame immortel ce vieux principicule.
Je veux bien qu'immortalité
Soit le synonyme
De longévité,
5 La différence est si minime !

Bruxelles, ces jours-ci, déclarait (c'est grotesque !)
Léopold immortel. — Au fait, il le fut presque.

LE MOT DE CUVIER

« En quel genre, en quel coin de l'animalité
Classerons-nous le Belge ? » Une Société
Scientifique avait posé ce dur problème.
4 Alors le grand Cuvier se leva, tremblant, blême,
Et pour toutes raisons criant : « Je jette aux chiens
Ma langue ! Car, messieurs les Académiciens,
L'espace est un peu grand depuis les singes jusques
8 Jusques aux mollusques ! »

AU CONCERT, A BRUXELLES

On venait de jouer de ces airs ravissants
Qui font rêver l'esprit et transportent les sens ;
Mais un peu lâchement, hélas ! à la flamande.
« Tiens ! l'on n'applaudit pas ici ? » fis-je. — Un voisin,

5 Amoureux comme moi de musique allemande,
Me dit : « Vous êtes neuf dans ce pays malsain,
Monsieur ? Sans ça, vous sauriez qu'en musique,
Comme en peinture et comme en politique,
Le Belge croit qu'on le veut attraper,
10 — Et puis qu'il craint surtout de se tromper. »

UNE BÉOTIE BELGE

La Belgique a sa Béotie !
C'est une légende, une scie,
Un proverbe ! — Un comparatif
Dans un état superlatif !
5 Bruxelles, ô mon Dieu ! méprise Poperinghe !
Un vendeur de trois-six blaguant un mannezingue !
Un clysoir, ô terreur ! raillant une seringue !
Bruxelles n'a pas droit de railler Poperinghe !
Comprend-on le comparatif
10 (C'est une épouvantable scie !)
A côté du superlatif ?
La Belgique a sa Béotie !

LA CIVILISATION BELGE

Le Belge est très civilisé ;
Il est voleur, il est rusé ;
Il est parfois syphilisé ;
Il est donc très civilisé.
5 Il ne déchire pas sa proie
Avec ses ongles ; met sa joie
A montrer qu'il sait employer
A table fourchette et cuiller ;
Il néglige de s'essuyer,
10 Mais porte paletots, culottes,

Chapeau, chemise même et bottes;
Fait de dégoûtantes ribotes;
Dégueule aussi bien que l'Anglais;
Met sur le trottoir des engrais;
15 Rit du Ciel et croit au progrès
Tout comme un journaliste d'Outre-
Quiévrain*; — de plus, il peut foutre
Debout comme un singe avisé.

Il est donc très civilisé.

LA MORT DE LÉOPOLD I

I

Le grand juge de paix d'Europe**
A donc dévissé son billard!
(Je vous expliquerai ce trope***).
Ce roi n'était pas un fuyard
5 Comme notre Louis-Philippe.
Il pensait, l'obstiné vieillard,
Qu'il n'était jamais assez tard
Pour casser son ignoble pipe****.

* *Les gens d'Outre-Quiévrain*, c'est sous ce nom qu'en Belgique on désigne communément les Français. *(Note de Baudelaire.)*
** Surnom donné à Léopold par la niaiserie française. Rengaine. *(Note de Baudelaire.)*
*** Ce vers est adressé aux Belges. Voir la note de M. Proudhon sur l'ignorance des Belges relativement aux figures de Rhétorique. *(Note de Baudelaire.)*
**** Autre figure empruntée à l'argot parisien. *(Note de Baudelaire.)*

LA MORT DE LÉOPOLD I

II

Léopold voulait sur la Mort
Gagner sa première victoire
Il n'a pas été le plus fort;
Mais dans l'impartiale histoire,
5 Sa résistance méritoire
Lui vaudra ce nom fulgurant :
« Le cadavre récalcitrant ».

PROJET DE PRÉFACE POUR UNE ÉDITION NOUVELLE DES « FLEURS DU MAL »

PRÉFACE

La France traverse une phase de vulgarité. Paris, centre et rayonnement de bêtise universelle. Malgré Molière et Béranger, on n'aurait jamais cru que la France irait si grand train dans la voie du *progrès*. — Questions d'art, *terrae incognitae*.

Le grand homme est bête.

Mon livre a pu faire du bien. Je ne m'en afflige pas. Il a pu faire du mal. Je ne m'en réjouis pas.

Le but de la poésie. Ce livre n'est pas fait pour mes femmes, mes filles ou mes sœurs.

On m'a attribué tous les crimes que je racontais.

Divertissement de la haine et du mépris. Les élégiaques sont des canailles. *Et verbum caro factum est*. Or le poète n'est d'aucun parti. Autrement il serait un simple mortel.

Le Diable. Le péché originel. Homme bon. Si vous vouliez, vous seriez le favori du Tyran; il est plus difficile d'aimer Dieu que de croire en lui. Au contraire, il est plus difficile pour les gens de ce siècle de croire au Diable que de l'aimer. Tout le monde le sent et personne n'y croit. Sublime subtilité du Diable.

Une âme de mon choix. Le Décor. — Ainsi la nouveauté. — L'Epigraphe. — D'Aurevilly. — La Renaissance. — Gérard de Nerval. — Nous sommes tous pendus ou pendables.

J'avais mis quelques ordures pour plaire à MM. les journalistes. Ils se sont montrés ingrats.

PRÉFACE DES *FLEURS*

Ce n'est pas pour mes femmes, mes filles ou mes sœurs que ce livre a été écrit; non plus que pour les femmes, les filles ou les sœurs de mon voisin. Je laisse cette fonction à ceux qui ont intérêt à confondre les bonnes actions avec le beau langage.

Je sais que l'amant passionné du beau style s'expose à la haine des multitudes; mais aucun respect humain, aucune fausse pudeur, aucune coalition, aucun suffrage universel ne me contraindront à parler le patois incomparable de ce siècle, ni à confondre l'encre avec la vertu.

Des poètes illustres s'étaient partagé depuis longtemps les provinces les plus fleuries du domaine poétique. Il m'a paru plaisant, et d'autant plus agréable que la tâche était plus difficile, d'extraire la *beauté* du *Mal*. Ce livre, essentiellement inutile et absolument innocent, n'a pas été fait dans un autre but que de me divertir et d'exercer mon goût passionné de l'obstacle.

Quelques-uns m'ont dit que ces poésies pouvaient faire du mal; je ne m'en suis pas réjoui. D'autres, de bonnes âmes, qu'elles pouvaient faire du bien; et cela ne m'a pas affligé. La crainte des uns et l'espérance des autres m'ont également étonné, et n'ont servi qu'à me prouver une fois de plus que ce siècle avait désappris toutes les notions classiques relatives à la littérature.

Malgré les secours que quelques cuistres célèbres ont apportés à la sottise naturelle de l'homme, je n'aurais jamais cru que notre patrie pût marcher avec une telle vélocité dans la voie du *progrès*. Ce monde a acquis une épaisseur de vulgarité qui donne au mépris de l'homme spirituel la violence d'une passion. Mais il est des carapaces heureuses que le poison lui-même n'entamerait pas.

J'avais primitivement l'intention de répondre à de nombreuses critiques, et, en même temps, d'expliquer quelques questions très simples, totalement obscurcies par la lumière moderne : Qu'est-ce que la poésie? Quel est son but? De la distinction du Bien d'avec le Beau; de la Beauté dans le Mal; que le rythme et la rime répondent dans l'homme aux immortels besoins de monotonie, de symétrie et de surprise; de l'adaptation du style au sujet; de la vanité et du danger de l'inspiration, etc., etc.; mais j'ai eu l'imprudence de lire ce matin quelques feuilles publiques; soudain, une indolence, du poids de vingt atmosphères, s'est abattue sur moi, et je me suis arrêté devant l'épouvantable inutilité d'expliquer quoi que ce soit à qui que ce soit. Ceux qui savent me devinent, et pour ceux qui ne peuvent ou ne veulent pas comprendre, j'amoncellerais sans fruit les explications.

C. B.

Comment, par une série d'efforts déterminée, l'artiste peut s'élever à une originalité proportionnelle;

Comment la poésie touche à la musique par une prosodie dont les racines plongent plus avant dans l'âme humaine que ne l'indique aucune théorie classique;

Que la poésie française possède une prosodie mystérieuse et méconnue, comme les langues latine et anglaise;

Pourquoi tout poète, qui ne sait pas au juste combien chaque mot comporte de rimes, est incapable d'exprimer une idée quelconque;

Que la phrase poétique peut imiter (et par là elle touche à l'art musical et à la science mathématique) la ligne horizontale, la ligne droite ascendante, la ligne droite descendante; qu'elle peut monter à pic vers le ciel, sans essoufflement, ou descendre perpendiculairement vers l'enfer avec la vélocité de toute pesanteur; qu'elle peut suivre la spirale, décrire la parabole, ou le zigzag figurant une série d'angles superposés;

Que la poésie se rattache aux arts de la peinture, de la cuisine et du cosmétique par la possibilité d'exprimer toute sensation de suavité ou d'amertume, de béatitude ou d'horreur, par l'accouplement de tel substantif avec tel adjectif, analogue ou contraire;

Comment, appuyé sur mes principes et disposant de la science que je me charge de lui enseigner en vingt leçons, tout homme devient capable de composer une tragédie qui ne sera pas plus sifflée qu'une autre, ou d'aligner un poème de la longueur nécessaire pour être aussi ennuyeux que tout poème épique connu.

Tâche difficile que de s'élever vers cette insensibilité divine ! Car moi-même, malgré les plus louables efforts, je n'ai su résister au désir de plaire à mes contemporains, comme l'attestent en quelques endroits, apposées comme un fard, certaines basses flatteries adressées à la démocratie, et même quelques ordures destinées à me faire pardonner la tristesse de mon sujet. Mais MM. les journalistes s'étant montrés ingrats envers les caresses de ce genre, j'en ai supprimé la trace, autant qu'il m'a été possible, dans cette nouvelle édition.

Je me propose, pour vérifier de nouveau l'excellence de ma méthode, de l'appliquer prochainement à la célébration des jouissances de la dévotion et des ivresses de la gloire militaire, bien que je ne les aie jamais connues.

Note sur les plagiats. — Thomas Gray. Edgar Poe (2 passages). Longfellow (2 passages). Stace. Virgile (tout le morceau d'*Andromaque*). Eschyle. Victor Hugo.

PROJET DE PRÉFACE POUR *LES FLEURS DU MAL*

(A fondre peut-être avec d'anciennes notes)

S'il y a quelque gloire à n'être pas compris, ou à ne l'être que très peu, je peux dire sans vanterie que, par ce petit livre, je l'ai acquise et méritée d'un seul coup. Offert plusieurs fois de suite à divers éditeurs qui le repoussaient avec horreur, poursuivi et mutilé, en 1857, par suite d'un malentendu fort bizarre, lentement rajeuni, accru et fortifié pendant quelques années de silence, disparu de nouveau, grâce à mon insouciance, ce produit discordant de la *Muse des derniers jours*, encore avivé par quelques nouvelles touches violentes, ose affronter aujourd'hui, pour la troisième fois, le soleil de la sottise.

Ce n'est pas ma faute; c'est celle d'un éditeur insistant qui se croit assez fort pour braver le dégoût public. « Ce livre restera sur toute votre vie comme une tache », me prédisait, dès le commencement, un de mes amis, qui est un grand poète. En effet, toutes mes mésaventures lui ont, jusqu'à présent, donné raison. Mais j'ai un de ces heureux caractères qui tirent une jouissance de la haine, et qui se glorifient dans le mépris. Mon goût diaboliquement passionné de la bêtise me fait trouver des plaisirs particuliers dans les travestissements de la calomnie. Chaste comme le papier, sobre comme l'eau, porté à la dévotion comme une communiante, inoffensif comme une victime, il ne me déplairait pas de passer pour un débauché, un ivrogne, un impie et un assassin.

Mon éditeur prétend qu'il y aurait quelque utilité pour moi, comme pour lui, à expliquer pourquoi et comment j'ai fait ce livre, quels ont été mon but et mes moyens, mon dessein et ma méthode. Un tel travail de critique aurait sans doute quelques chances d'amuser les esprits amoureux de la rhétorique profonde. Pour ceux-là peut-être l'écrirai-je plus tard et le ferai-je tirer à une dizaine d'exemplaires. Mais, à un meilleur examen, ne paraît-il pas évident que ce serait là une besogne tout à fait superflue, pour les uns comme pour les autres, puisque les uns savent ou devinent, et que les autres ne comprendront jamais ? Pour insuffler au peuple l'intelligence d'un objet d'art, j'ai une trop grande peur du ridicule, et je craindrais, en cette matière, d'égaler ces utopistes qui veulent, par un décret, rendre tous les Français riches et vertueux d'un seul coup. Et puis, ma meilleure raison, ma suprême, est que cela m'ennuie et me déplaît. Mène-t-on la foule dans les ateliers de l'habilleuse et du décorateur, dans la loge de la comédienne ? Montre-t-on au public affolé aujourd'hui, indifférent demain, le mécanisme des trucs ? Lui explique-t-on les retouches et les variantes improvisées aux répétitions, et jusqu'à quelle dose l'instinct et la sincérité sont mêlés aux rubriques et au charlatanisme indispensable dans l'amalgame de l'œuvre ? Lui révèle-t-on toutes les loques, les fards, les poulies, les chaînes, les repentirs, les épreuves barbouillées, bref toutes les horreurs qui composent le sanctuaire de l'art ?

D'ailleurs, telle n'est pas aujourd'hui mon humeur. Je n'ai désir ni de démontrer, ni d'étonner, ni d'amuser, ni de persuader. J'ai mes nerfs, mes vapeurs. J'aspire à un repos absolu et à une nuit continue. Chantre des voluptés folles du vin et de l'opium, je n'ai soif que d'une liqueur inconnue sur la terre, et que la pharmaceutique céleste, elle-même, ne pourrait pas m'offrir ; d'une liqueur qui ne contiendrait ni la vitalité, ni la mort, ni l'excitation, ni le néant. Ne rien savoir, ne rien enseigner, ne rien vouloir, ne rien sentir, dormir et encore dormir, tel est aujourd'hui mon unique vœu. Vœu infâme et dégoûtant, mais sincère.

Toutefois, comme un goût supérieur nous apprend à ne pas craindre de nous contredire un peu nous-mêmes, j'ai rassemblé, à la fin de ce livre abominable, les témoignages de sympathie de quelques-uns des hommes que je prise le plus, pour qu'un lecteur impartial en puisse inférer que je ne suis pas absolument digne d'excommunication et qu'ayant su me faire aimer de quelques-uns, mon cœur, quoi qu'en ait dit je ne sais plus quel torchon imprimé, n'a peut-être pas « l'épouvantable laideur de mon visage ».

Enfin, par une générosité peu commune, dont MM. les critiques...

Comme l'ignorance va croissant...

Je dénonce moi-même les imitations...

TABLE DES MATIÈRES

TABLE DES MATIÈRES

DANS LA MÊME COLLECTION

153 ■ ■ Anthologie poétique française, Moyen Age, 1
154 ■ ■ Moyen Age, 2
45 ■ ■ XVIᵉ siècle, 1
62 ■ ■ XVIᵉ siècle, 2
74 ■ ■ XVIIᵉ siècle, 1
84 ■ ■ XVIIᵉ siècle, 2
101 ■ ■ XVIIIᵉ siècle
1 ■ ■ Dictionnaire anglais-français, français-anglais
2 ■ ■ Dictionnaire espagnol-français, français-espagnol
9 ■ ■ Dictionnaire italien-français, français-italien
10 ■ ■ Dictionnaire allemand-français, français-allemand
123 ■ ■ ■ Dictionnaire latin-français
124 ■ ■ ■ Dictionnaire français-latin

ARISTOPHANE
115 ■ ■ Théâtre complet, 1
116 ■ ■ Théâtre complet, 2

ARISTOTE
43 ■ ■ Ethique de Nicomaque

BALZAC
3 Eugénie Grandet
40 Le Médecin de campagne
48 Une fille d'Eve
69 La Femme de trente ans
98 Le Contrat de mariage
107 ■ ■ ■ Illusions perdues
112 Le Père Goriot
135 Le Curé de village
145 Pierrette

BARBEY D'AUREVILLY
63 Le Chevalier Des Touches
121 L'Ensorcelée
149 ■ ■ Les Diaboliques

BAUDELAIRE
7 Les Fleurs du mal et autres poèmes
89 Les Paradis artificiels
136 Petits Poèmes en prose. Le Spleen de Paris

BEAUMARCHAIS
76 ■ ■ Théâtre

BERNARD
85 ■ ■ Introduction à l'étude de la médecine expérimentale

BERNARDIN DE SAINT-PIERRE
87 Paul et Virginie

BOSSUET
110 ■ ■ Discours sur l'Histoire universelle

BUSSY-RABUTIN
130 Histoire amoureuse des Gaules

CESAR
12 La Guerre des Gaules

CHATEAUBRIAND
25 Atala-René
104 ■ ■ Génie du christianisme, 1
105 ■ ■ Génie du christianisme, 2

CICERON
38 De la république-Des lois
156 ■ ■ De la vieillesse, de l'amitié, des devoirs

COMTE
100 ■ ■ Catéchisme positiviste

CONSTANT
80 Adolphe

COURTELINE
65 Théâtre
106 Messieurs les Ronds-de-Cuir

DESCARTES
109 Discours de la méthode

DIDEROT
53 Entretien entre d'Alembert et Diderot - Le Rêve de d'Alembert - Suite de l'Entretien
143 Le Neveu de Rameau
164 Entretiens sur le fils naturel - Paradoxe sur le comédien

DIOGENE LAERCE
56 ■ ■ Vie, Doctrines et Sentences des philosophes illustres, 1
77 ■ ■ Philosophes illustres, 2

DOSTOIESVKI
78 ■ ■ Crime et Châtiment, 1
79 ■ ■ Crime et Châtiment, 2

DUMAS
144 ■ ■ ■ Les Trois Mousquetaires
161 ■ ■ Vingt ans après, 1
162 ■ ■ Vingt ans après, 2

EPICTETE
16 Voir **MARC-AURELE**

ERASME
36 Eloge de la folie, suivi de la Lettre d'Erasme à Dorpius

ESCHYLE
8 Théât·e complet

EURIPIDE
46 ■ ■ Théâtre complet, 1
93 ■ ■ Théâtre complet, 2
99 ■ ■ Théâtre complet, 3
122 ■ ■ Théâtre complet, 4

FLAUBERT
22 ■ ■ Salammbô
42 Trois contes
86 ■ ■ Madame Bovary
103 ■ ■ Bouvard et Pécuchet
131 La Tentation de saint Antoine

GAUTIER
102 ■ ■ Mademoiselle de Maupin
118 Le Roman de la Momie
147 ■ ■ Le Capitaine Fracasse

FROMENTIN
141 Dominique

GŒTHE
24 Faust

HOMERE
60 ■ ■ L'Iliade
64 ■ ■ L'Odyssée

HORACE
159 ■ ■ Œuvres

HUGO
59 ■ ■ Quatrevingt-treize
113 ■ ■ Les Chansons des rues et des bois
125 ■ ■ Les Misérables, 1
126 ■ ■ Les Misérables, 2
127 ■ ■ Les Misérables, 3
134 ■ ■ Notre-Dame de Paris
157 ■ ■ La légende des siècles, 1
158 ■ ■ La légende des siècles, 2

LA BRUYERE
72 ■ ■ Les Caractères, précédés des Caractères de **THEOPHRASTE**

LACLOS
13 ■ ■ Les Liaisons dangereuses

LAFAYETTE
82 La Princesse de Clèves

LA FONTAINE
95 ■ ■ Fables

LAMARTINE
138 Jocelyn

LEIBNIZ
92 ■ ■ Nouveaux Essais sur l'entendement humain

LUCRECE
30 De la Nature

MARC-AURELE
16 Pensées pour moi-même, suivies du Manuel d'**EPICTETE**

MARIVAUX
73 ■ ■ Le Paysan parvenu

MERIMEE
32 Colomba

MICHELET
83 ■ ■ La Sorcière

LES MILLE ET UNE NUITS
66 ■ ■ tome 1
67 ■ ■ tome 2
68 ■ ■ tome 3

MOLIERE
33 ■ ■ Œuvres complètes, 1
41 ■ ■ Œuvres complètes, 2
54 ■ ■ Œuvres complètes, 3
70 ■ ■ Œuvres complètes, 4

MONTESQUIEU
19 Lettres persanes

MUSSET
5 ■ ■ Théâtre, 1
14 ■ ■ Théâtre, 2

NERVAL
44 Les Filles du feu - Les Chimères

OVIDE
97■ ■ Les Métamorphoses

PASCAL
151■ ■ Lettres écrites à un provincial

LES PENSEURS GRECS AVANT SOCRATE
31 De Thalès de Milet à Prodicos de Céos

PLATON
4 Œuvres complètes, 1
75 Œuvres complètes, 2
90■ ■ Œuvres complètes, 3
129■ ■ Œuvres complètes, 4
146■ ■ Œuvres complètes, 5
163■ ■ Œuvres complètes, 6

POE
39■ ■ Histoires extraordinaires
55■ ■ Nouvelles Histoires extraordinaires
114 Histoires grotesques et sérieuses

PREVOST
140 Histoire du chevalier des Grieux et de Manon Lescaut

PROUDHON
91■ ■ Qu'est-ce que la propriété ?

RACINE
27■ ■ Théâtre complet, 1
37■ ■ Théâtre complet, 2

RENARD
58 Poil de carotte
150 Histoires naturelles

RIMBAUD
20 Œuvres poétiques

ROUSSEAU
23 Les Rêveries du promeneur solitaire
94 Du contrat social
117■ ■ ■ Emile
148■ ■ ■ Julie ou la nouvelle Héloïse
160 Lettre à d'Alembert

SAINT AUGUSTIN
21■ ■ Les Confessions

SAND
35 La Mare au diable
155 La petite Fadette

SHAKESPEARE
6■ ■ Théâtre complet, 1
17■ ■ Théâtre complet, 2
29■ ■ Théâtre complet, 3
47■ ■ Théâtre complet, 4
61■ ■ Théâtre complet, 5
96■ ■ Théâtre complet, 6

SOPHOCLE
18■ ■ Théâtre complet

SPINOZA
34■ ■ Œuvres, 1
50■ ■ Œuvres, 2
57■ ■ Œuvres, 3
108■ ■ Œuvres, 4

STENDHAL
11■ ■ Le Rouge et le Noir
26■ ■ La Chartreuse de Parm
49■ ■ De l'amour
137 Armance

TACITE
71■ ■ Annales

THEOPHRASTE
72■ ■ Voir **LA BRUYERE**

THUCYDIDE
81■ ■ Histoire de la guerre d Péloponnèse, 1
88■ ■ Histoire de la guerre d Péloponnèse, 2

VILLON
52 Œuvres poétiques

VIRGILE
51■ ■ L'Enéide
128 Les Bucoliques Le Géorgiques

VOLTAIRE
15 Lettres philosophiques
28■ ■ Dictionnaire philosophique
111■ ■ ■ Romans et Contes
119■ ■ Le Siècle de Louis XIV,
120■ ■ Le Siècle de Louis XIV,

VORAGINE
132■ ■ La légende dorée, 1
133■ ■ La légende dorée, 2

XENOPHON
139■ ■ Œuvres complètes, 1
142■ ■ Œuvres complètes, 2
152■ ■ Œuvres complètes, 3

GF — TEXTE INTÉGRAL — GF

2359 - 1967. — IMPRIMERIE-RELIURE MAME
N° d'édition 6015. — 2e trimestre 1964. — PRINTED IN FRANCE.